建設業経理士検定試験過去問題集

1級 財務分析

解答＆解説　第6版

問題

〔第１問〕　流動性分析に関する次の問に解答しなさい。各問ともに指定した字数以内で記入すること。　(20点)

問１　流動比率の分析における２対１の原則について説明しなさい。(250字)

問２　棚卸資産滞留月数について説明しなさい。(250字)

解答&解説

問１

流動比率とは、流動資産と流動負債との比率を測定して
、企業の短期的な支払能力（流動性）の程度を分析しよ
うとするものである。２対１とは、一般的な流動比率の
算式において、分子たる流動資産の値が２に対して、分
母たる流動負債の値が１の状態のことをいう。すなわち
、２対１の原則は、「流動比率の値は２００％以上が理
想である」ということを要請している。また、２対１の
比率は、流動資産を帳簿価額の半値で処分しても流動負
債の返済ができること、つまりは、流動資産の担保価値
をその２分の１と評価したものであると考えられる。

問2

棚卸資産滞留月数とは、棚卸資産が企業の収益（1か月
分の完成工事高）と対比して、どの程度のものかを示す
指標である。その数値が高い場合は、相対的に棚卸資産
が滞留していることを示し、財務の流動性に悪影響を及
ぼしているといえる。なお、建設業では、棚卸資産の大
半を未成工事支出金が占めている。その未成工事支出金
の発生態様は、企業規模はいうまでもなく、請け負った
工事の内容によって大きく変化する。そこで、棚卸資産
滞留月数によって分析する場合には、単に月数だけをみ
るのではなく、受注内容をも検討する必要がある。

問1

流動比率は比較的短期に支払期限の到来する債務，すなわち流動負債とその支払手段としての資産，すなわち流動資産との割合を示すものであり，その意味で短期的な支払能力をあらわす数値である。一般産業の財務分析では，以下のような算式で表される。

$$\cdot\ \text{流動比率（\%）}=\frac{\text{流動資産}}{\text{流動負債}}\times 100$$

流動比率は企業財務の健全性をみるにあたり，これまで最も重視されてきた比率の一つである。ちなみに，この比率は，アメリカで銀行家が金銭を貸すときに重視したところから，銀行家比率（バンカーズ・レシオ）ともいわれ，2対1の原則といわれたこともある。2対1の比率，すなわち200％以上が理想であるとの意味は流動資産を帳簿価額の半値で処分しても流動負債の返済ができること，つまり，担保価値をその2分の1と評価したものであると考えられている。

実際に流動比率は200％もなくてもよいが，100％を下回るようであれば，やはり財務の健全性に対する注意信号であるということは明らかである。よって，流動比率の高さは，財務の流

動性に関して，まず第１番目に注目すべき指標といえよう。

また，建設業においては，その特性から，工事に直接的に関連して発生する未確定の収益と費用すなわち未成工事受入金と未成工事支出金を除いて，この流動比率を測定すべきであるという見解が一般的であり，以下の算式が用いられる。

$$\cdot\ 流動比率（\%）=\frac{流動資産-未成工事支出金}{流動負債-未成工事受入金}\times 100$$

問２

$$\cdot\ 棚卸資産滞留月数（月）=\frac{未成工事支出金+材料貯蔵品}{完成工事高\div 12}$$

一般的に，棚卸資産の滞留は，月次の棚卸資産回転率を意味し，この回転の鈍さは，財務の流動性に悪い影響を与える。一般の製造業での棚卸資産とは，製品，仕掛品，原材料をいう。これに対して建設業では，工事材料は工事毎に特定発注するのが一般的であるから材料在庫は少なく，完成工事は発注者に早期に引き渡されるから，原則として製品在庫は持たない。問題は仕掛品すなわち建設業の未成工事支出金である。

未成工事支出金の発生態様は，企業規模はいうまでもなく，請け負った工事の内容によって大きく変化するものである。そこで，棚卸資産滞留月数によって分析する場合には，単に月数だけをみるのではなく，受注内容をも検討する必要があると解される。というのは，大型プロジェクトを受注した場合と，個人住宅の建設の場合では，工期に格段の差が生じ，滞留月数に差異が出てくるからである。したがって，棚卸資産滞留月数をみる場合には，受注状況を考慮してから，資金効率の良否を判定する必要があるわけである。

なお，棚卸資産の滞留月数をより厳密に算出する場合には，分母は，完成工事高ではなくて当期発生総工事原価あるいは完成工事原価を用いるべきであるが，資料入手の困難性および他の比率との比較性，便宜性から，完成工事高でもよいと考えられよう。さらに，売上利益率が同程度であれば，他社との比較において，問題はほとんど生じないと解される。

〔第２問〕　財務分析に関する以下の各記述（１～５）のうち、正しいものには「Ｔ」、誤っているものには「Ｆ」を解答用紙の所定の欄に記入しなさい。（15点）

1．建設業の貸借対照表に関する財務構造の特徴は、製造業と比べると、①固定資産の構成比が相対的に低い、②固定負債の構成比が相対的に低い、③資本・純資産の構成比が相対的に高い、という点が挙げられる。

2．キャッシュ・フロー計算書の構成比率分析とは、全体に対する部分の割合をあらわす比率に基づいてキャッシュ・フローの状況を分析する方法である。ただし、これは営業収入を 100 % とする直接法によるキャッシュ・フロー計算書を前提としている。

3．運転資本保有月数とは、正味の運転資本が企業の収益と対比してどの程度のものかを示す指標であり、保有月数が多いほど支払能力があり財務健全性は良好であることを意味する。なお、運転資本とは、流動資産から流動負債を控除した金額を意味する。

4．総合評価の一つの手法としてレーダー・チャート法があるが、これは円形の図形の中に選択された適切な分析指標を記入し、平均値との乖離具合を凹凸の状況によってビジュアルに認識しようとするものである。ただし、比較対象となる平均値の選択次第で分析の評価内容は異なることに注意しなければならない。

5．固定費と変動費に分解する方法には、勘定科目精査法、高低２点法、スキャッターグラフ法（散布図表法）などがある。ただし、建設業における慣行的な区分は、固定費を販売費及び一般管理費とし、変動費を工事原価すべてと支払利息としている。

解答&解説

記号（ＴまたはＦ）

1	2	3	4	5
F	T	T	T	F

問題	正解	解　説
1	F	資本・純資産の構成比が相対的に「高い」ではなく，資本・純資産の構成比が相対的に「低い」である。
2	T	キャッシュ・フロー計算書の構成比率分析では，営業収入を100%とすることが基点となっている。その他の諸項目は，それに対する割合で表される。これによって各項目の相対的な大きさや収入と支出の構成割合を概観することができる。
3	T	問題文のとおり。
4	T	問題文のとおり。
5	F	当該固定費は「販売費及び一般管理費，支払利息」であり，変動費は「工事原価，支払利息以外の営業外費用で営業外収益で賄えない部分」である。

〔第3問〕　次の＜資料＞に基づいて（A）～（D）の金額を算定するとともに、流動比率（建設業特有の勘定科目を控除する方法）も算定し、解答用紙の所定の欄に記入しなさい。この会社の会計期間は1年である。なお、解答に際しての端数処理については、解答用紙の指定のとおりとする。（20点）

＜資料＞

1．貸借対照表

貸借対照表

（単位：百万円）

（資産の部）		（負債の部）	
現金預金	39,000	支払手形	×××
受取手形	（ A ）	工事未払金	103,700
完成工事未収入金	98,500	短期借入金	23,000
未成工事支出金	×××	未払法人税等	×××
材料貯蔵品	200	未成工事受入金	（ C ）
流動資産合計	×××	流動負債合計	×××
建物	64,000	長期借入金	×××
機械装置	×××	固定負債合計	×××
工具器具備品	6,400	負債合計	244,000
車両運搬具	×××	（純資産の部）	
土地	24,200	資本金	61,000
建設仮勘定	14,700	資本剰余金	61,000
投資有価証券	（ B ）	利益剰余金	×××
固定資産合計	163,800	純資産合計	×××
資産合計	×××	負債純資産合計	×××

2．損益計算書（一部抜粋）

損益計算書

（単位：百万円）

完成工事高	×××
完成工事原価	×××
完成工事総利益	×××
販売費及び一般管理費	（ D ）
営業利益	×××
営業外収益	
受取利息配当金	1,740
その他	×××
営業外費用	
支払利息	1,780
その他	×××
経常利益	×××

3．関連データ（注1）

総資本経常利益率	4.20 %	経営資本営業利益率	4.40 %
完成工事高経常利益率	2.00 %	完成工事原価率	85.50 %
当座比率（注2）	125.00 %	固定比率	105.00 %
受取勘定滞留月数	2.30 月	借入金依存度	23.50 %
金利負担能力	10.00 倍		

（注1）　算定にあたって期中平均値を使用することが望ましい比率についても、便宜上、期末残高の数値を用いて算定している。

（注2）　当座比率の算定は、建設業特有の勘定科目の金額を控除する方法によっている。

解答&解説

（A）	62500	百万円	（百万円未満を切り捨て）
（B）	20300	百万円	（　同　上　）
（C）	13000	百万円	（　同　上　）
（D）	105740	百万円	（　同　上　）
流動比率	125.13	%	（小数点第３位を四捨五入し、第２位まで記入）

（単位：百万円）

① 固定比率 $=\dfrac{\text{固定資産}}{\text{自己資本}}\times 100=\dfrac{163,800}{\text{自己資本}}\times 100=105.00\%$　　∴自己資本＝156,000

② 総資本＝負債合計＋自己資本[①]＝244,000＋156,000＝400,000

③ 総資本経常利益率 $=\dfrac{\text{経常利益}}{\text{総資本}^{②}}\times 100=\dfrac{\text{経常利益}}{400,000}\times 100=4.20\%$　　∴経常利益＝16,800

④ 完成工事高経常利益率 $=\dfrac{\text{経常利益}^{③}}{\text{完成工事高}}\times 100=\dfrac{16,800}{\text{完成工事高}}\times 100=2.00\%$

∴完成工事高＝840,000

⑤ 受取勘定滞留月数 $=\dfrac{\text{受取手形}+\text{完成工事未収入金}}{\text{完成工事高}^{④}\div 12}=\dfrac{\text{受取手形}+98,500}{840,000\div 12}=2.30\text{月}$

∴受取手形（A）＝62,500

⑥ 金利負担能力 $=\dfrac{\text{営業利益}+\text{受取利息配当金}}{\text{支払利息}}=\dfrac{\text{営業利益}+1,740}{1,780}=10.00\text{倍}$

∴営業利益＝16,060

⑦ 経営資本営業利益率 $=\dfrac{\text{営業利益}^{⑥}}{\text{経営資本}}\times 100=\dfrac{16,060}{\text{経営資本}}\times 100=4.40\%$　　∴経営資本＝365,000

⑧　経営資本⑦＝総資本②－（建設仮勘定＋投資有価証券）

投資有価証券（B）＝総資本②－経営資本⑦－建設仮勘定＝400,000－365,000－14,700＝20,300

⑨　$借入金依存度=\frac{短期借入金+長期借入金}{総資本^{②}}\times 100=\frac{23,000+長期借入金}{400,000}\times 100=23.50\%$

∴長期借入金（固定負債合計）＝71,000

⑩　負債合計＝流動負債合計＋固定負債合計⑨

流動負債合計＝負債合計－固定負債合計⑨＝244,000－71,000＝173,000

⑪　$当座比率=\frac{現金預金+受取手形^{⑤}+完成工事未収入金}{流動負債^{⑩}-未成工事受入金}\times 100=\frac{39,000+62,500+98,500}{173,000-未成工事受入金}\times 100$

$=125.00\%$　　∴未成工事受入金（C）＝13,000

⑫　$完成工事原価率=\frac{完成工事原価}{完成工事高^{④}}\times 100=\frac{完成工事原価}{840,000}\times 100=85.50\%$

∴完成工事原価＝718,200

⑬　営業利益⑥＝完成工事高④－完成工事原価⑫－販売費及び一般管理費

販売費及び一般管理費（D）＝完成工事高④－完成工事原価⑫－営業利益⑥

＝840,000－718,200－16,060＝105,740

⑭　総資本②＝流動資産合計＋固定資産合計

流動資産合計＝総資本②－固定資産合計＝400,000－163,800＝236,200

⑮　流動資産合計⑭＝現金預金＋受取手形⑤＋完成工事未収入金＋未成工事支出金＋材料貯蔵品

未成工事支出金＝流動資産合計⑭－現金預金－受取手形⑤－完成工事未収入金－材料貯蔵品

＝236,200－39,000－62,500－98,500－200＝36,000

⑯　$流動比率=\frac{流動資産^{⑭}-未成工事支出金^{⑮}}{流動負債^{⑩}-未成工事受入金^{⑪}}\times 100=\frac{236,200-36,000}{173,000-13,000}\times 100$

$=125.125\%\fallingdotseq 125.13\%$

問題

〔第4問〕　次の<資料>に基づき、下記の設問に答えなさい。なお、解答に際しての端数処理については、解答用紙の指定のとおりとする。（15点）

<資料>

第5期	完成工事高	80,000千円
	安全余裕率	4.50％（分子に安全余裕額を用いる）
	固定費	24,448千円
	負債合計金額	39,360千円
	自己資本比率	38.50％
	変動的資本は総資本の70.00％とする	

問1　損益分岐点の完成工事高を求めなさい。

問2　資本回収点の完成工事高を求めなさい。

問3　第5期の変動費を求めなさい。

問4　第6期の目標利益を2,200千円としたときの完成工事高を求めなさい。なお、変動費率と固定費は第5期と同じとする。

問5　第7期には経営能力拡大のため、880千円の固定費の増加が見込まれている。第7期の完成工事高営業利益率5％として、これを達成するための完成工事高を求めなさい。なお、変動費率は第5期と同じとする。

解答&解説

問1	76400	千円	（千円未満を切り捨て）
問2	43636	千円	（同上）
問3	54400	千円	（同上）
問4	83275	千円	（同上）
問5	93807	千円	（同上）

（単位：千円）

問 1

・安全余裕率 $=\dfrac{\text{安全余裕額}}{\text{完成工事高}}\times 100=\dfrac{\text{安全余裕額}}{80,000}\times 100=4.50\%$　　∴安全余裕額＝3,600

・損益分岐点の完成工事高＝完成工事高－安全余裕額＝80,000－3,600＝$\underline{\underline{76,400}}$

問 2

・総資本に占める負債の比率 $=\dfrac{\text{負債}}{\text{総資本}}\times 100=\dfrac{39,360}{\text{総資本}}\times 100=\left(\underset{\text{総資本}}{100\%}-\underset{\text{自己資本比率}}{38.50\%}\right)$ に相当する

$$\frac{39,360}{\text{総資本}}\times 100=61.5\%$$

∴総資本＝64,000

・変動的資本＝総資本×70.00％＝64,000×70.00％＝44,800

・固定的資本＝総資本×30.00％＝64,000×30.00％＝19,200

・資本回収点の完成工事高 $=\dfrac{\text{固定的資本}}{1-\dfrac{\text{変動的資本}}{\text{完成工事高}}}=\dfrac{19,200}{1-\dfrac{44,800}{80,000}}=\dfrac{19,200}{1-0.56}\fallingdotseq 43,636.3\cdots=\underline{\underline{43,636}}$

問 3

・損益分岐点の完成工事高[※問1] $=\dfrac{\text{固定費}}{1-\dfrac{\text{変動費}}{\text{完成工事高}}}=\dfrac{24,448}{1-\dfrac{\text{変動費}}{80,000}}=\dfrac{24,448}{\dfrac{80,000-\text{変動費}}{80,000}}$

$$=\frac{24,448\times 80,000}{80,000-\text{変動費}}=76,400$$

$$\frac{24,448\times 80,000}{76,400}=80,000-\text{変動費}$$

$$25,600=80,000-\text{変動費}$$

∴変動費＝$\underline{\underline{54,400}}$

問 4

・変動費率＝変動費[※問3]÷完成工事高＝54,400÷80,000＝0.68

・目標利益とするための完成工事高 $=\dfrac{\text{固定費}+\text{目標利益}}{1-\text{変動費率}}=\dfrac{24,448+2,200}{1-0.68}=\underline{\underline{83,275}}$

問5

$$・完成工事高=\frac{固定費+目標利益}{1-変動費率}=\frac{24,448+880+完成工事高\times 0.05}{1-0.68}$$

$$完成工事高=\frac{25,328+完成工事高\times 0.05}{0.32}$$

$$完成工事高\times 0.32=25,328+完成工事高\times 0.05$$

$$完成工事高\times 0.27=25,328$$

$$完成工事高=25,328\div 0.27\fallingdotseq 93,807.4\cdots=\underline{\underline{93,807}}$$

問題

〔第５問〕　A建設株式会社の第33期（決算日：20×5年３月31日）及び第34期（決算日：20×6年３月31日）の財務諸表並びにその関連データは<別添資料>のとおりであった。次の設問に解答しなさい。（30点）

問１　第34期について、次の諸比率（A～J）を算定しなさい。期中平均値を使用することが望ましい数値については、そのような処置をすること。ただし、Jの流動負債比率は、建設業特有の勘定科目の金額を控除する方法により算定すること。また、Fの営業利益増減率については、プラスの場合は「A」、マイナスの場合は「B」を解答用紙の所定の欄に記入し、数値欄にその符号は付けないこと。なお、解答に際しての端数処理については、解答用紙の指定のとおりとする。

A　立替工事高比率
B　固定長期適合比率
C　棚卸資産回転率
D　付加価値率
E　自己資本事業利益率
F　営業利益増減率
G　完成工事高キャッシュ・フロー率
H　配当性向
I　未成工事収支比率
J　流動負債比率

問２　同社の財務諸表とその関連データを参照しながら、次に示す文中の［　　］に入れるべき最も適当な用語・数値を下記の<用語・数値群>の中から選び、その記号（ア～ム）で解答しなさい。期中平均値を使用することが望ましい数値については、そのような処置をし、小数点第３位を四捨五入している。

(1)　生産性分析の基本指標は、付加価値労働生産性の測定であるが、この労働生産性はいくつかの要因に分解して分析することができる。一つは、一人当たり［1］×付加価値率に分解され、二つめは、［2］×総資本投資効率であり、［2］は一人当たり総資本を示すものである。三つめは、［3］×［4］である。［3］は、従業員一人当たりの生産設備への投資額を示しており、工事現場の機械化の水準を示している。第34期における［2］は［5］千円（千円未満切り捨て）であり、［4］は［6］％である。

(2)　経営事項審査において、経営状況（Y）には具体的な審査内容は８つあるが、その中で数値が低いほど好ましい指標は［7］と［8］である。第34期における［7］は［9］％であり、［8］は［10］月である。

<用語・数値群>

ア　純支払利息比率	イ　完成工事原価	ウ　設備投資効率	エ　負債回転期間
オ　付加価値	カ　自己資本比率	キ　有形固定資産回転率	ク　資本集約度
コ　労働装備率	サ　付加価値対固定資産比率	シ　完成工事高	ス　自己資本対固定資産比率
セ　固定負債比率	ソ　支払勘定回転率	タ　0.03	チ　0.04
ト　0.11	ナ　7.83	ニ　8.01	ネ　8.36
ノ　156.56	ハ　184.33	フ　187.62	ヘ　76,900
ホ　77,485	ム　79,985		

第５問＜別添資料＞

Ａ建設株式会社の第 33 期及び第 34 期の財務諸表並びにその関連データ

貸　借　対　照　表

（単位：千円）

	第 33 期 20×5 年 3 月 31 日現在	第 34 期 20×6 年 3 月 31 日現在		第 33 期 20×5 年 3 月 31 日現在	第 34 期 20×6 年 3 月 31 日現在
（資産の部）			（負債の部）		
Ⅰ　流動資産			Ⅰ　流動負債		
現金預金	448,400	504,900	支払手形	196,000	187,900
受取手形	536,800	528,400	工事未払金	1,002,300	1,104,800
完成工事未収入金	2,103,000	2,246,700	短期借入金	291,000	324,300
有価証券	18,000	14,000	未払金	102,400	163,200
未成工事支出金	148,900	153,900	未払法人税等	28,300	15,500
材料貯蔵品	14,300	12,900	未成工事受入金	309,000	507,500
その他流動資産	106,570	209,560	預り金	387,300	512,000
貸倒引当金	△ 3,450	△ 3,100	完成工事補償引当金	7,900	9,100
［流動資産合計］	3,372,520	3,667,260	工事損失引当金	38,700	111,000
Ⅱ　固定資産			その他流動負債	105,500	85,600
1．有形固定資産			［流動負債合計］	2,468,400	3,020,900
建物	269,400	308,900	Ⅱ　固定負債		
構築物	52,700	41,600	社債	300,000	200,000
機械装置	32,800	31,700	長期借入金	234,500	212,700
車両運搬具	16,890	16,980	退職給付引当金	22,300	20,400
工具器具備品	8,560	8,430	その他固定負債	32,400	43,100
土地	335,100	333,900	［固定負債合計］	589,200	476,200
建設仮勘定	133,400	155,700	負債合計	3,057,600	3,497,100
有形固定資産合計	848,850	897,210	（純資産の部）		
2．無形固定資産			Ⅰ　株主資本		
のれん	32,500	30,800	1．資本金	305,000	305,000
その他無形資産	5,100	5,800	2．資本剰余金		
無形固定資産合計	37,600	36,600	資本準備金	183,900	183,900
3．投資その他の資産			資本剰余金合計	183,900	183,900
投資有価証券	170,200	178,400	3．利益剰余金		
関係会社株式	40,400	45,800	利益準備金	23,200	23,200
繰延税金資産	42,500	57,900	その他利益剰余金	987,070	924,670
長期前払費用	12,400	12,800	利益剰余金合計	1,010,270	947,870
退職給付に係る資産	34,700	41,600	4．自己株式	△ 12,500	△ 12,900
その他投資資産	52,300	60,100	［株主資本合計］	1,486,670	1,423,870
貸倒引当金	△ 34,900	△ 38,600	Ⅱ　評価・換算差額等		
投資その他の資産合計	317,600	358,000	その他有価証券評価差額金	32,300	38,100
［固定資産合計］	1,204,050	1,291,810	［評価・換算差額等合計］	32,300	38,100
			純資産合計	1,518,970	1,461,970
資産合計	4,576,570	4,959,070	負債純資産合計	4,576,570	4,959,070

〔付記事項〕

1．流動資産中の貸倒引当金は、受取手形と完成工事未収入金に対して設定されたものである。
2．その他流動資産は営業活動に伴うものであるが、当座の支払能力を有するものではない。
3．投資その他の資産は、すべて営業活動には直接関係していない資産である。
4．引当金及び有利子負債に該当する項目は、貸借対照表に明記したもの以外にはない。
5．第 34 期において繰越利益剰余金を原資として実施した配当の額は 1,700 千円である。

損益計算書

(単位：千円)

	第33期 自 20×4年4月 1日 至 20×5年3月31日		第34期 自 20×5年4月 1日 至 20×6年3月31日	
Ⅰ 完成工事高		4,582,300		5,022,100
Ⅱ 完成工事原価		4,209,900		4,757,800
完成工事総利益		372,400		264,300
Ⅲ 販売費及び一般管理費		212,900		223,000
営業利益		159,500		41,300
Ⅳ 営業外収益				
受取利息	380		3,830	
受取配当金	3,520		4,090	
その他営業外収益	5,530	9,430	3,310	11,230
Ⅴ 営業外費用				
支払利息	6,360		9,530	
社債利息	690		530	
為替差損	120		22,390	
その他営業外費用	5,880	13,050	6,350	38,800
経常利益		155,880		13,730
Ⅵ 特別利益		8,780		3,730
Ⅶ 特別損失		4,630		1,180
税引前当期純利益		160,030		16,280
法人税、住民税及び事業税	56,200		34,770	
法人税等調整額	△ 2,670	53,530	△ 24,100	10,670
当期純利益		106,500		5,610

〔付記事項〕

1．第34期における有形固定資産の減価償却費及び無形固定資産の償却費の合計額は6,580千円である。

2．その他営業外費用には、他人資本に付される利息は含まれていない。

キャッシュ・フロー計算書（要約）

(単位：千円)

	第33期 自 20×4年4月 1日 至 20×5年3月31日	第34期 自 20×5年4月 1日 至 20×6年3月31日
Ⅰ 営業活動によるキャッシュ・フロー	△ 76,800	196,900
Ⅱ 投資活動によるキャッシュ・フロー	△ 11,800	△ 11,700
Ⅲ 財務活動によるキャッシュ・フロー	13,600	△ 128,700
Ⅳ 現金及び現金同等物の増加・減少額	△ 75,000	56,500
Ⅴ 現金及び現金同等物の期首残高	523,400	448,400
Ⅵ 現金及び現金同等物の期末残高	448,400	504,900

完成工事原価報告書

(単位：千円)

	第33期 自 20×4年4月 1日 至 20×5年3月31日		第34期 自 20×5年4月 1日 至 20×6年3月31日	
Ⅰ 材料費		644,100		808,900
Ⅱ 労務費		36,200		39,300
（うち労務外注費）	(36,200)		(39,300)	
Ⅲ 外注費		2,610,100		2,807,100
Ⅳ 経費		919,500		1,102,500
完成工事原価		4,209,900		4,757,800

各期末時点の総職員数

	第33期	第34期
総職員数	60人	64人

解答&解説

問1

	項目	解答	単位	
A	立替工事高比率	46.78	%	（小数点第3位を四捨五入し、第2位まで記入）
B	固定長期適合比率	66.65	%	（　同　上　）
C	棚卸資産回転率	30.44	回	（　同　上　）
D	付加価値率	27.22	%	（　同　上　）
E	自己資本事業利益率	1.60	%	（　同　上　）
F	営業利益増減率	74.11	%	（　同　上　）　記号（AまたはB） B
G	完成工事高キャッシュ・フロー率	1.22	%	（　同　上　）
H	配当性向	30.30	%	（　同　上　）
I	未成工事収支比率	329.76	%	（　同　上　）
J	流動負債比率	171.92	%	（　同　上　）

問2

記号（ア～ム）

1	2	3	4	5	6	7	8	9	10
シ	ク	コ	ウ	ヘ	フ	ア	エ	チ	ネ

問１　（単位：千円）※を付した項目は，期中平均値を使用している。

$$\text{A：立替工事高比率}=\frac{\text{受取手形}+\text{完成工事未収入金}+\text{未成工事支出金}-\text{未成工事受入金}}{\text{完成工事高}+\text{未成工事支出金}}\times100$$

$$=\frac{528,400+2,246,700+153,900-507,500}{5,022,100+153,900}\times100\fallingdotseq46.783\cdots\%=46.78\%$$

$$\text{B：固定長期適合比率}=\frac{\text{固定資産}}{\text{固定負債}+\text{自己資本}}\times100=\frac{1,291,810}{476,200+1,461,970}\times100\fallingdotseq66.651\cdots\%$$

$$=66.65\%$$

$$\text{C：棚卸資産回転率}=\frac{\text{完成工事高}}{(\text{未成工事支出金}+\text{材料貯蔵品})^{※}}$$

$$=\frac{5,022,100}{\{(148,900+14,300)+(153,900+12,900)\}\div2}\fallingdotseq30.436\cdots\text{回}=30.44\text{回}$$

$$\text{D：付加価値率}=\frac{\text{完成工事高}-(\text{材料費}+\text{労務外注費}+\text{外注費})}{\text{完成工事高}}\times100$$

$$=\frac{5,022,100-(808,900+39,300+2,807,100)}{5,022,100}\times100\fallingdotseq27.215\cdots\%=27.22\%$$

$$\text{E：自己資本事業利益率}=\frac{\text{事業利益}}{\text{自己資本}^{※}}\times100=\frac{23,790}{(1,518,970+1,461,970)\div2}\times100\fallingdotseq1.596\cdots\%$$

$$=1.60\%$$

・事業利益＝経常利益＋支払利息＋社債利息＝13,730＋9,530＋530＝23,790

$$\text{F：営業利益増減率}=\frac{\text{当期の営業利益}-\text{前期の営業利益}}{\text{前期の営業利益}}\times100=\frac{41,300-159,500}{159,500}\times100$$

$$\fallingdotseq\triangle74.106\cdots\%=\triangle74.11\%$$

$$\text{G：完成工事高キャッシュ・フロー率}=\frac{\text{純キャッシュ・フロー}}{\text{完成工事高}}\times100=\frac{61,340}{5,022,100}\times100$$

$$\fallingdotseq1.221\cdots\%=1.22\%$$

・純キャッシュ・フロー＝当期純利益（税引後）±法人税等調整額＋当期減価償却実施額

＋引当金増減額－剰余金の配当の額

＝5,610－24,100＋6,580＋｛(3,100＋38,600＋9,100＋111,000＋20,400)

－(3,450＋34,900＋7,900＋38,700＋22,300)｝－1,700＝61,340

$$\text{H：配当性向}=\frac{\text{配当金}}{\text{当期純利益}}\times 100=\frac{1,700}{5,610}\times 100 \fallingdotseq 30.303\cdots\% = 30.30\%$$

$$\text{I：未成工事収支比率}=\frac{\text{未成工事受入金}}{\text{未成工事支出金}}\times 100=\frac{507,500}{153,900}\times 100 \fallingdotseq 329.759\cdots\% = 329.76\%$$

$$\text{J：流動負債比率}=\frac{\text{流動負債}-\text{未成工事受入金}}{\text{自己資本}}\times 100=\frac{3,020,900-507,500}{1,461,970}\times 100 \fallingdotseq 171.918\cdots\%$$

$$=171.92\%$$

問2

(1) 生産性分析の基本指標は，付加価値労働生産性の測定である。これは，いくつかの要因に分解して分析することができる。それらをまとめると，以下のようになる。

1．労働生産性＝1人当たり完成工事高［ 1 ］×付加価値率

$$\frac{\text{付加価値}}{\text{総職員数}}=\frac{\text{完成工事高}}{\text{総職員数}}\times\frac{\text{付加価値}}{\text{完成工事高}}$$

2．労働生産性＝資本集約度［ 2 ］×総資本投資効率

$$\frac{\text{付加価値}}{\text{総職員数}}=\frac{\text{総資本}}{\text{総職員数}}\times\frac{\text{付加価値}}{\text{総資本}}$$

3．労働生産性＝労働装備率［ 3 ］×設備投資効率［ 4 ］

$$\frac{\text{付加価値}}{\text{総職員数}}=\frac{\text{有形固定資産}}{\text{総職員数}}\times\frac{\text{付加価値}}{\text{有形固定資産}}$$

4．労働生産性＝労働装備率×有形固定資産回転率×付加価値率

$$\frac{\text{付加価値}}{\text{総職員数}}=\frac{\text{有形固定資産}}{\text{総職員数}}\times\frac{\text{完成工事高}}{\text{有形固定資産}}\times\frac{\text{付加価値}}{\text{完成工事高}}$$

・第34期の資本集約度［ 5 ］

$$=\frac{\text{総資本}^{※}}{\text{総職員数}^{※}}=\frac{(4,576,570+4,959,070)\div 2}{(60\text{人}+64\text{人})\div 2}$$

$$\fallingdotseq 76,900.3\cdots\text{千円}=76,900\text{（へ）千円}$$

・第34期の設備投資効率［6］$= \dfrac{\text{完成工事高} - (\text{材料費} + \text{労務外注費} + \text{外注費})}{(\text{有形固定資産} - \text{建設仮勘定})^{※}} \times 100$

$= \dfrac{5,022,100 - (808,900 + 39,300 + 2,807,100)}{\{(848,850 - 133,400) + (897,210 - 155,700)\} \div 2} \times 100$

$\fallingdotseq 187.623\cdots\% = 187.62$（フ）%

(2) 経営事項審査において，経営状況（Y）には具体的な審査内容は8つある。それらをまとめると，以下のような内容である。

負債抵抗力	良好
1．純支払利息比率［7］(%)	小
2．負債回転期間［8］(月)	小
収益性・効率性	良好
3．総資本売上総利益率（%）	大
4．売上高経常利益率（%）	大
財務健全性	良好
5．自己資本対固定資産比率（%）	大
6．自己資本比率（%）	大
絶対的力量	良好
7．営業キャッシュ・フロー（絶対額）	大
8．利益剰余金（絶対額）	大

・純支払利息比率［9］$= \dfrac{\text{支払利息} + \text{社債利息} - \text{受取利息} - \text{受取配当金}}{\text{完成工事高}} \times 100$

$= \dfrac{9,530 + 530 - 3,830 - 4,090}{5,022,100} \times 100 \fallingdotseq 0.042\cdots\% = 0.04$（チ）%

・負債回転期間［10］$= \dfrac{\text{流動負債} + \text{固定負債}}{\text{完成工事高} \div 12} = \dfrac{3,020,900 + 476,200}{5,022,100 \div 12} \fallingdotseq 8.356\cdots\text{月} = 8.36$（ネ）月

令和５年　９月10日実施

問題

〔第１問〕　成長性分析に関する次の問に解答しなさい。各問ともに指定した字数以内で記入すること。（20点）

問１　財務分析における成長性分析の意義について説明しなさい。（200字）

問２　成長性分析の基本的な手法について説明しなさい。（300字）

解答＆解説

問１

財務分析における成長性分析とは、常に２会計期間以上のデータを比較することにより、企業の成長性を評価する分析手法である。貸借対照表や損益計算書を中心とした財務分析は１年間に限定された動きの分析にすぎない。しかし、企業経営活動のダイナミックな傾向もしくは動向を把握するためには、複数年のデータによる分析が不可欠である。つまり、そのような傾向や動向を把握する場合に、成長性分析の意義が見出せる。

問2

成長性分析の基本的な手法は、どのような指標を比較す
るかによって、①実数比較と②比率比較に分けられる。
まず、①実数比較とは、売上高、付加価値、利益額、資
本、従業員数等の実数そのものを比較する方法である。
一方、②比率比較とは、総資本利益率、売上高利益率、
回転率等の比率を比較する方法である。しかし、②比率
表示の指標は、現実の企業規模や利益等の絶対額が隠れ
てしまうという欠点がある。よって、多くは、①実数表
示の指標を対比して、その成長性を測定する傾向にある
。なお、1企業内の分析であれば、②比率の比較によっ
て、「率で何ポイント上昇・改善した」というような表
現の方が、企業の成長性を理解しやすい場合もある。

問1　成長性分析の意義

企業経営に関する財務分析が進展するにつれて，時系列によるデータとそれを基礎にする分析が盛んになり，重視されるようになってきた。貸借対照表を中心とする分析を「静態的分析」，損益計算書を中心とする分析を「動態的分析」などということもあるが，たとえ損益計算書であっても，1年間に限定された動きの分析にすぎない。企業経営活動のダイナミックな傾向もしくは動向を把握するためには，複数年のデータによる分析が不可欠である。

成長性の分析は，他の分析手法と異なり，常に2会計期間（通常は2年）以上のデータを比較するところに大きな特徴がある。また，わが国の有価証券報告書は，必ず2期間の財務諸表を掲載し，構成比率分析を加えながら，成長性の分析にも資する会計情報の役割を果たさせようとしている。

問２　成長性分析の基本的な手法：実数比較と比率比較

成長性の分析は，前述のように２会計期間以上のデータを比較することが特徴であるが，どのような指標を比較するかによって，基本的には次の２つの手法がある。

①実数比較	売上高，付加価値，利益額，資本，従業員数等の実数そのものを比較する方法。
②比率比較	総資本利益率，売上高利益率，回転率等の比率を比較する方法。

比率表示の指標は，現実の企業規模や利益等の絶対額が隠れてしまうため，多くは，実数表示の指標を対比して，その成長性を測定する傾向にある。しかし，１企業内の分析であれば，比率の比較によって，「率で何ポイント上昇・改善した」というような表現の方が，理解しやすい場合もある。

成長性を比率で表現する場合には，「成長率」と「増減率」の方式がある。成長率は，次のような算式で計算される。成長率は，プラスの成長をしていれば100を超える数値が示され，マイナス成長の場合は100未満の数値が示されることになる。当然のことながら，この数値が高い方が好ましい。

$$\cdot 成長率（\%）=\frac{当期実績値}{前期実績値}\times 100$$

ところで，成長性分析で最も多用されるのは，増減率分析である。増減率は，原則として，次の算式によって求める。増減率は，プラスになれば増加率であり，マイナスになれば減少率である。他方で，増減率は，一般にプラスの成長度合を測定しようとすることを強調して，単に増加率と呼ばれることもある。また，売上高（完成工事高）のような場合には増収率（減収率），利益の場合には増益率（減益率）などといわれることもある。

なお，成長率も増減率も，実績値を比較しているので，前記の「実数比較」に属することに留意する。

$$\cdot 増減率（\%）=\frac{当期実績値-前期実績値}{前期実績値}\times 100$$

問題

〔第２問〕 次の文中の［　　］の中に入る最も適当な用語を下記の<用語群>の中から選び、その記号（ア～へ）を解答用紙の所定の欄に記入しなさい。 （15点）

原価と売上高と利益の相関関係を的確に把握するために、建設業の［1］分析においては、［2］利益段階での分析を行うことを慣行としている。これは、建設業における資金調達の重要性が加味されていることを意味する。したがって、簡便的に固定費とされている［3］に［4］を加え、変動費である［5］に、その他の［6］（ただし［4］を除く）も加えている。このような費用分解を前提とすると、［1］比率とは、［3］と［4］の合計額を分子とし、［7］と［6］と［4］の合計額を分母として100をかけることによって求められる。この比率は、その数値が［8］ほど収益性は安定しているといえる。

また、［1］分析を応用して、貸借対照表を活用した均衡分析を行う手法が、総収益と［9］が一致する分岐点を求める［10］分析である。［9］は［11］と［12］に分解されるが、［10］分析の分子となるのは［12］である。当期の完成工事高が12,000千円で、［9］が10,000千円、［12］が2,400千円であるとき、［10］の完成工事高は、［13］千円（千円未満を切り捨て）となる。

<用語群>

ア	営業外収益	イ	営業外費用	ウ	資本回収点	エ	固定的資本
オ	営業外損益	カ	高い	キ	変動的資本	ク	経常
コ	損益分岐点	サ	完成工事原価	シ	支払利息	ス	受取利息
セ	完成工事総利益	ソ	総資本	タ	低い	チ	特別損失
ト	総費用	ナ	営業	ニ	限界利益	ネ	販売費及び一般管理費
ノ	6,545	ハ	9,500	フ	20,727	ヘ	22,000

解答&解説

記号（ア～へ）

1	2	3	4	5	6	7	8	9	10	11	12	13
コ	ク	ネ	シ	サ	オ	セ	タ	ソ	ウ	キ	エ	ノ

［1］は,「原価と売上高と利益の相関関係」,「固定費」及び「変動費」というキーワードにより,「損益分岐点（コ）」だと推測がつく。［2］は,「資金調達の重要性が加味」という記述により,「経常（ク）」が正解となる。また，建設業における慣行的な固定費・変動費の区分を一表に示しておく。

変動費	固定費
・完成工事原価 ・支払利息以外の営業外費用から営業外収益を控除した部分	・販売費及び一般管理費 ・支払利息

上記の表から，[3]～[6]の正解の組み合わせは，順に「販売費及び一般管理費（ネ）」，「支払利息（シ）」，「完成工事原価（サ）」，「営業外損益（オ）」となる。このような費用分解を前提とすると，建設業の損益分岐点比率は以下のように示され，その数値が低いほど良好である。よって，[7]と[8]の正解の組み合わせは，「完成工事総利益（セ）」と「低い（タ）」となる。

$$\text{・損益分岐点比率（\%）}=\frac{\text{販売費及び一般管理費}+\text{支払利息}}{\text{完成工事総利益}+\text{営業外損益}+\text{支払利息}}\times 100$$

貸借対照表を活用した均衡分析とは，一時期の実数をもって総収益と総資本が一致する資本の回収・未回収の分岐点を求める分析をいい，通常は資本回収点分析と呼ばれている。このことから，[9]と[10]の正解の組み合わせは，「総資本（ソ）」と「資本回収点（ウ）」となる。

損益分岐点分析と同様，資本回収点分析を実施するためには，資本を固定的資本と変動的資本に分解しておかなければならない。ここで，固定的資本とは，完成工事高の計上水準とは関係なく企業規模の維持に係り保有される資産の固定的な有高をいう。一方，変動的資本（＝総資本－固定的資本＝10,000千円－2,400千円＝7,600千円）とは，請負工事の大きさに関連して変動的に確保される資産の有高をいう。資本回収点は，損益分岐点の売上高を計算する公式の原理と同様に，次の算式によって求められる。

$$\text{・資本回収点の完成工事高}=\frac{\text{固定的資本}}{1-\dfrac{\text{変動的資本}}{\text{完成工事高}}}=\frac{2,400\text{千円}}{1-\dfrac{7,600\text{千円}}{12,000\text{千円}}}$$

$$\fallingdotseq 6,545.4\cdots\text{千円}=6,545\text{千円（千円未満切り捨て）}$$

上記の算式等から，[11]～[13]の正解の組み合わせは，順に「変動的資本（キ）」，「固定的資本（エ）」，「6,545（ノ）」となる。

問題

〔第３問〕　次の＜資料＞に基づいて（A）～（D）の金額を算定するとともに、未成工事収支比率も算定し、解答用紙の所定の欄に記入しなさい。この会社の会計期間は１年である。なお、解答に際しての端数処理については、解答用紙の指定のとおりとする。　(20点)

＜資料＞

1．貸借対照表

貸借対照表

(単位：百万円)

(資産の部)		(負債の部)	
現金預金	×××	支払手形	×××
受取手形	33,750	工事未払金	47,000
完成工事未収入金	(A)	短期借入金	8,400
未成工事支出金	×××	未払法人税等	1,600
材料貯蔵品	50	未成工事受入金	×××
流動資産合計	×××	流動負債合計	×××
建物	22,250	長期借入金	×××
機械装置	8,100	固定負債合計	×××
工具器具備品	3,200	負債合計	×××
車両運搬具	×××	(純資産の部)	
建設仮勘定	×××	資本金	45,000
土地	12,000	資本剰余金	15,000
投資有価証券	19,750	利益剰余金	(B)
固定資産合計	81,050	純資産合計	×××
資産合計	×××	負債純資産合計	×××

2．損益計算書（一部抜粋）

損益計算書

	(単位：百万円)
完成工事高	420,000
完成工事原価	(C)
完成工事総利益	×××
販売費及び一般管理費	30,268
営業利益	×××
営業外収益	
受取利息配当金	(D)
その他	700
営業外費用	
支払利息	1,900
その他	×××
経常利益	×××

3．関連データ（注１）

経営資本営業利益率	4.80 %	棚卸資産回転率	25.00 回
流動比率（注２）	124.00 %	支払勘定回転率	6.00 回
固定長期適合比率（注３）	81.05 %	現金預金手持月数	0.50 月
経営資本回転期間	4.90 月	金利負担能力	4.60 倍
有利子負債月商倍率	1.16 月		

（注１）　算定にあたって期中平均値を使用することが望ましい比率についても、便宜上、期末残高の数値を用いて算定している。

（注２）　流動比率の算定は、建設業特有の勘定科目の金額を控除する方法によっている。

（注３）　固定長期適合比率の算定は、一般的な方法によっている。

解答&解説

(A)	47900	百万円	(百万円未満を切り捨て)
(B)	7800	百万円	(同 上)
(C)	381500	百万円	(同 上)
(D)	508	百万円	(同 上)
未成工事収支比率	101.49	%	(小数点第3位を四捨五入し、第2位まで記入)

(単位：百万円)

① 現金預金手持月数 $= \dfrac{\text{現金預金}}{\text{完成工事高} \div 12\text{月}} = \dfrac{\text{現金預金}}{420,000 \div 12\text{月}} = 0.50\text{月}$　　∴現金預金 = 17,500

② 棚卸資産回転率 $= \dfrac{\text{完成工事高}}{\text{未成工事支出金} + \text{材料貯蔵品}} = \dfrac{420,000}{\text{未成工事支出金} + 50} = 25.00\text{回}$

∴未成工事支出金 = 16,750

③ 支払勘定回転率 $= \dfrac{\text{完成工事高}}{\text{支払手形} + \text{工事未払金}} = \dfrac{420,000}{\text{支払手形} + 47,000} = 6.00\text{回}$　∴支払手形 = 23,000

④ 流動負債 = 支払手形③ + 工事未払金 + 短期借入金 + 未払法人税等 + 未成工事受入金
流動負債 − 未成工事受入金 = 支払手形③ + 工事未払金 + 短期借入金 + 未払法人税等
= 23,000 + 47,000 + 8,400 + 1,600 = 80,000

⑤ 流動比率 $= \dfrac{\text{流動資産} - \text{未成工事支出金}^{②}}{(\text{流動負債} - \text{未成工事受入金})^{④}} \times 100 = \dfrac{\text{流動資産} - 16,750}{80,000} \times 100 = 124.00\%$

∴流動資産 = 115,950

⑥ 流動資産⑤ = 現金預金① + 受取手形 + 完成工事未収入金 + 未成工事支出金② + 材料貯蔵品
完成工事未収入金(A) = 流動資産⑤ − (現金預金① + 受取手形 + 未成工事支出金② + 材料貯蔵品)
= 115,950 − (17,500 + 33,750 + 16,750 + 50) = 47,900

⑦ $$\text{有利子負債月商倍率}=\frac{\text{短期借入金}+\text{長期借入金}}{\text{完成工事高}\div 12\text{月}}=\frac{8,400+\text{長期借入金}}{420,000\div 12\text{月}}=1.16\text{月}$$

∴長期借入金（固定負債）＝32, 200

⑧ $$\text{固定長期適合比率}=\frac{\text{固定資産}}{\text{固定負債}^{⑦}+\text{自己資本}}\times 100=\frac{81,050}{32,200+\text{自己資本}}\times 100=81.05\%$$

∴自己資本＝67, 800

⑨ 自己資本[⑧]＝資本金＋資本剰余金＋利益剰余金

利益剰余金（B）＝自己資本[⑧]－（資本金＋資本剰余金）＝67, 800－（45, 000＋15, 000）＝<u>7, 800</u>

⑩ $$\text{経営資本回転期間}=\frac{\text{経営資本}}{\text{完成工事高}\div 12\text{月}}=\frac{\text{経営資本}}{420,000\div 12\text{月}}=4.90\text{月}$$

∴経営資本＝171, 500

⑪ $$\text{経営資本営業利益率}=\frac{\text{営業利益}}{\text{経営資本}^{⑩}}\times 100=\frac{\text{営業利益}}{171,500}\times 100=4.80\%$$

∴営業利益＝8, 232

⑫ 完成工事高－完成工事原価－販売費及び一般管理費＝営業利益[⑪]

完成工事原価（C）＝完成工事高－販売費及び一般管理費－営業利益[⑪]

＝420, 000－30, 268－8, 232＝<u>381, 500</u>

⑬ $$\text{金利負担能力}=\frac{\text{営業利益}^{⑪}+\text{受取利息配当金}}{\text{支払利息}}=\frac{8,232+\text{受取利息配当金}}{1,900}=4.60\text{倍}$$

∴受取利息配当金（D）＝<u>508</u>

⑭ 総資本＝流動資産[⑤]＋固定資産＝115, 950＋81, 050＝197, 000

⑮ 総資本[⑭]＝流動負債＋固定負債[⑦]＋自己資本[⑧]

流動負債＝総資本[⑭]－固定負債[⑦]－自己資本[⑧]＝197, 000－32, 200－67, 800＝97, 000

⑯ 流動負債[⑮]＝支払手形[③]＋工事未払金＋短期借入金＋未払法人税等＋未成工事受入金

未成工事受入金＝流動負債[⑮]－（支払手形[③]＋工事未払金＋短期借入金＋未払法人税等）

＝97, 000－（23, 000＋47, 000＋8, 400＋1, 600）＝17, 000

⑰ $$\text{未成工事収支比率}=\frac{\text{未成工事受入金}^{⑯}}{\text{未成工事支出金}^{②}}\times 100=\frac{17,000}{16,750}\times 100\fallingdotseq 101.492\cdots\%=\underline{101.49\%}$$

問題

〔第4問〕　次の<資料>に基づき、下記の設問に答えなさい。なお、解答に際しての端数処理については、解答用紙の指定のとおりとする。　（15点）

<資料>

1．完成工事原価の内訳

材料費	？ 千円
労務費（すべて労務外注費）	？ 千円
外注費	？ 千円
経費	60,720 千円
（うち人件費	35,000 千円）

2．資産の内訳（期中平均）

流動資産	289,000 千円
有形固定資産	122,000 千円
（うち建設仮勘定	？ 千円）
無形固定資産	3,500 千円
投資その他の資産	65,500 千円

3．総職員数

期首　29人　　期末　？人

4．その他（注）

完成工事高総利益率　25.00％　　総資本回転率　1.15回　　労働生産性　6,624千円
設備投資効率　165.60％

（注）期中平均値を使用することが望ましい比率については、そのような処置をしている。

問1　付加価値率を計算しなさい。
問2　前期の付加価値が172,800千円であるときの付加価値増減率を計算しなさい。なお、当該比率がプラスの場合は「A」、マイナスの場合は「B」を解答用紙の所定の欄に記入しなさい。
問3　付加価値対固定資産比率を計算しなさい。
問4　資本集約度を計算しなさい。
問5　建設仮勘定の金額を計算しなさい。

解答&解説

問1	36.00 ％	（小数点第3位を四捨五入し、第2位まで記入）	
問2	15.00 ％	（　同　上　）	記号（AまたはB） A
問3	104.04 ％	（小数点第3位を四捨五入し、第2位まで記入）	
問4	16000 千円	（千円未満を切り捨て）	
問5	2000 千円	（　同　上　）	

問１　（単位：千円）※を付した項目は，期中平均値を使用している。

①　総資本※＝流動資産※＋有形固定資産※＋無形固定資産※＋投資その他の資産※

$$=289,000+122,000+3,500+65,500=480,000$$

②　$総資本回転率=\frac{完成工事高}{総資本^{※①}}=\frac{完成工事高}{480,000}=1.15回$　　∴完成工事高＝552,000

③　$完成工事高総利益率=\frac{完成工事総利益}{完成工事高^{②}}\times 100=\frac{完成工事総利益}{552,000}\times 100=25.00\%$

∴完成工事総利益＝138,000

④　完成工事高②－完成工事原価＝完成工事総利益③

完成工事原価＝完成工事高②－完成工事総利益③＝552,000－138,000＝414,000

⑤　付加価値

＝完成工事高②－（材料費＋労務外注費＋外注費）＝完成工事高②－（完成工事原価④－経費）

＝552,000－（414,000－60,720）＝198,720

⑥　$付加価値率=\frac{付加価値^{⑤}}{完成工事高^{②}}\times 100=\frac{198,720}{552,000}\times 100=\underline{\underline{36.00}}\%$

問２

⑦　$付加価値増減率=\frac{当期の付加価値^{⑤}-前期の付加価値}{前期の付加価値}\times 100=\frac{198,720-172,800}{172,800}\times 100$

$$=+\underline{\underline{15.00}}\%$$

問３

⑧　固定資産※＝有形固定資産※＋無形固定資産※＋投資その他の資産※

$$=122,000+3,500+65,500=191,000$$

⑨　$付加価値対固定資産比率=\frac{付加価値^{⑤}}{固定資産^{※⑧}}\times 100=\frac{198,720}{191,000}\times 100\fallingdotseq 104.041\cdots\%=\underline{\underline{104.04}}\%$

問４

⑩　$労働生産性=\frac{付加価値^{⑤}}{総職員数^{※}}=\frac{198,720}{総職員数^{※}}=6,624$　　∴総職員数※＝30人

⑪　$資本集約度=\frac{総資本^{※①}}{総職員数^{※⑩}}=\frac{480,000}{30人}=\underline{\underline{16,000}}$

問 5

⑫ 設備投資効率 $= \dfrac{\text{付加価値}^{⑤}}{(\text{有形固定資産}-\text{建設仮勘定})^{※}} \times 100 = \dfrac{198,720}{122,000-\text{建設仮勘定}^{※}} \times 100$

$= 165.60\%$　　∴建設仮勘定※ ＝ 2,000

問題

〔第 5 問〕 A建設株式会社の第 32 期（決算日：20×5 年 3 月 31 日）及び第 33 期（決算日：20×6 年 3 月 31 日）の財務諸表並びにその関連データは<**別添資料**>のとおりであった。次の設問に解答しなさい。（30 点）

問 1 第 33 期について、次の諸比率（A～J）を算定しなさい。期中平均値を使用することが望ましい数値については、そのような処置をすること。なお、解答に際しての端数処理については、解答用紙の指定のとおりとする。

A 完成工事高キャッシュ・フロー率
B 総資本事業利益率
C 立替工事高比率
D 受取勘定滞留月数
E 固定比率
F 配当性向
G 労働装備率
H 自己資本比率
I 借入金依存度
J 資本金経常利益率

問 2 同社の財務諸表とその関連データを参照しながら、次に示す文中の［　　］の中に入れるべき最も適当な用語・数値を下記の<用語・数値群>の中から選び、その記号（ア～ホ）で解答しなさい。なお、算定にあたって期中平均値を使用することが望ましい比率については、便宜上、第 33 期末残高の数値を用いて算定している。

企業の［1］分析とは、資本や資産等が一定期間にどの程度運動したかを示すものである。回転期間の分母に用いられるのは、［2］であるが、項目別に回転を測定する場合には必ずしも適当であるとはいえず、例えば、未成工事支出金の回転率や回転期間をとらえるためには、［3］と比較するべきである。なお、経営事項審査の経営状況の審査内容で用いられているのが、［4］回転期間であり、この数値は［5］ほど好ましいといえる。
また、企業の仕入、販売、代金回収活動に関する回転期間を総合的に判断する指標が、［6］である。この指標は、［7］回転日数と［8］回転日数を足し、［9］回転日数を引くことで求められる。そして、この数値は［5］方が望ましいといえる。第 33 期における［7］回転日数と［8］回転日数の合計は［10］日（小数点未満を切り捨て）である。

<用語・数値群>

ア 負債	イ 健全性	ウ 仕入債務	エ 小さい
オ キャッシュ・コンバージョン・サイクル		カ 活動性	キ 未収施工高
ク 完成工事高	コ 売上債権	サ ＲＯＩ	シ 完成工事原価
ス 大きい	セ 総資本	ソ 安全性	タ 固定資産
チ ＣＶＰ	ト 純資産	ナ 未成工事受入金	ニ 棚卸資産
ネ 200	ノ 202	ハ 207	フ 216
ヘ 225	ホ 227		

第5問<別添資料>

A建設株式会社の第32期及び第33期の財務諸表並びにその関連データ

貸借対照表

（単位：千円）

	第32期 20×5年3月31日現在	第33期 20×6年3月31日現在		第32期 20×5年3月31日現在	第33期 20×6年3月31日現在
（資産の部）			（負債の部）		
Ⅰ　流動資産			Ⅰ　流動負債		
現金預金	556,100	399,900	支払手形	43,200	39,800
受取手形	62,400	57,900	工事未払金	1,169,800	1,142,900
完成工事未収入金	2,271,100	2,492,200	短期借入金	271,900	274,600
有価証券	1,000	1,200	未払金	50,600	39,100
未成工事支出金	88,100	109,400	未払法人税等	45,800	26,400
材料貯蔵品	25,600	20,200	未成工事受入金	233,200	290,100
その他流動資産	260,100	213,000	預り金	559,300	502,100
貸倒引当金	△ 3,700	△ 3,500	完成工事補償引当金	9,700	7,800
［流動資産合計］	3,260,700	3,290,300	工事損失引当金	11,100	35,900
Ⅱ　固定資産			その他流動負債	124,300	132,100
1．有形固定資産			［流動負債合計］	2,518,900	2,490,800
建物	129,400	125,200	Ⅱ　固定負債		
構築物	19,300	19,400	社債	200,000	300,000
機械装置	21,900	19,600	長期借入金	197,900	183,800
車両運搬具	5,800	5,900	退職給付引当金	4,700	3,400
工具器具備品	1,500	1,600	その他固定負債	141,000	182,000
土地	315,900	315,900	［固定負債合計］	543,600	669,200
建設仮勘定	116,500	158,600	負債合計	3,062,500	3,160,000
有形固定資産合計	610,300	646,200	（純資産の部）		
2．無形固定資産			Ⅰ　株主資本		
のれん	10,000	10,000	1．資本金	304,500	304,500
その他無形資産	4,900	3,800	2．資本剰余金		
無形固定資産合計	14,900	13,800	資本準備金	183,900	183,900
3．投資その他の資産			資本剰余金合計	183,900	183,900
投資有価証券	188,500	169,900	3．利益剰余金		
関係会社株式	47,700	81,300	別途積立金	500,000	600,000
長期貸付金	188,500	211,500	その他利益剰余金	224,700	132,900
長期前払費用	500	800	利益剰余金合計	724,700	732,900
繰延税金資産	28,100	36,300	4．自己株式	△ 5,900	△ 5,600
その他投資資産	26,100	10,300	［株主資本合計］	1,207,200	1,215,700
貸倒引当金	△ 32,400	△ 34,900	Ⅱ　評価・換算差額等		
投資その他の資産合計	447,000	475,200	その他有価証券評価差額金	63,200	49,800
［固定資産合計］	1,072,200	1,135,200	［評価・換算差額等合計］	63,200	49,800
			純資産合計	1,270,400	1,265,500
資産合計	4,332,900	4,425,500	負債純資産合計	4,332,900	4,425,500

〔付記事項〕

1．流動資産中の貸倒引当金は、受取手形と完成工事未収入金に対して設定されたものである。
2．その他流動資産は営業活動に伴うものであるが、当座の支払能力を有するものではない。
3．投資その他の資産は、すべて営業活動には直接関係していない資産である。
4．引当金及び有利子負債に該当する項目は、貸借対照表に明記したもの以外にはない。
5．第33期において繰越利益剰余金を原資として実施した配当の額は28,000千円である。

損益計算書

(単位：千円)

	第32期 自 20×4年4月 1日 至 20×5年3月31日		第33期 自 20×5年4月 1日 至 20×6年3月31日	
Ⅰ 完成工事高		4,451,400		4,289,900
Ⅱ 完成工事原価		4,003,800		3,963,600
完成工事総利益		447,600		326,300
Ⅲ 販売費及び一般管理費		177,600		193,100
営業利益		270,000		133,200
Ⅳ 営業外収益				
受取利息	3,300		1,900	
受取配当金	4,900		4,600	
その他営業外収益	6,100	14,300	4,400	10,900
Ⅴ 営業外費用				
支払利息	5,900		5,800	
社債利息	900		700	
為替差損	200		1,500	
その他営業外費用	2,100	9,100	3,200	11,200
経常利益		275,200		132,900
Ⅵ 特別利益		1,200		8,600
Ⅶ 特別損失		5,000		4,500
税引前当期純利益		271,400		137,000
法人税、住民税及び事業税	63,900		47,200	
法人税等調整額	17,800	81,700	△ 2,500	44,700
当期純利益		189,700		92,300

〔付記事項〕

1. 第33期における有形固定資産の減価償却費及び無形固定資産の償却費の合計額は6,800千円である。
2. その他営業外費用には、他人資本に付される利息は含まれていない。

キャッシュ・フロー計算書（要約）

(単位：千円)

	第32期 自 20×4年4月 1日 至 20×5年3月31日	第33期 自 20×5年4月 1日 至 20×6年3月31日
Ⅰ 営業活動によるキャッシュ・フロー	306,900	△ 76,900
Ⅱ 投資活動によるキャッシュ・フロー	△ 128,000	△ 118,200
Ⅲ 財務活動によるキャッシュ・フロー	△ 31,100	38,900
Ⅳ 現金及び現金同等物の増加・減少額	147,800	△ 156,200
Ⅴ 現金及び現金同等物の期首残高	408,300	556,100
Ⅵ 現金及び現金同等物の期末残高	556,100	399,900

完成工事原価報告書

(単位：千円)

	第32期 自 20×4年4月 1日 至 20×5年3月31日		第33期 自 20×5年4月 1日 至 20×6年3月31日	
Ⅰ 材料費		640,600		604,300
Ⅱ 労務費		396,400		391,500
（うち労務外注費）	(396,400)		(391,500)	
Ⅲ 外注費		2,506,600		2,457,900
Ⅳ 経費		460,200		509,900
完成工事原価		4,003,800		3,963,600

各期末時点の総職員数

	第32期	第33期
総職員数	26人	24人

解答＆解説

問1

		解答	単位	
A	完成工事高キャッシュ・フロー率	2.16	%	（小数点第3位を四捨五入し、第2位まで記入）
B	総資本事業利益率	3.18	%	（　同　上　）
C	立替工事高比率	53.86	%	（　同　上　）
D	受取勘定滞留月数	7.13	月	（　同　上　）
E	固定比率	89.70	%	（　同　上　）
F	配当性向	30.34	%	（　同　上　）
G	労働装備率	19628	千円	（千円未満を切り捨て）
H	自己資本比率	28.60	%	（小数点第3位を四捨五入し、第2位まで記入）
I	借入金依存度	17.14	%	（　同　上　）
J	資本金経常利益率	43.65	%	（　同　上　）

問2

記号（ア～ホ）

1	2	3	4	5	6	7	8	9	10
カ	ク	シ	ア	エ	オ	ニ	コ	ウ	ホ

問１　（単位：千円）※を付した項目は，期中平均値を使用している。

A：$完成工事高キャッシュ・フロー率=\dfrac{純キャッシュ・フロー}{完成工事高}\times 100=\dfrac{92,500}{4,289,900}\times 100$

$\fallingdotseq 2.156\cdots\% = 2.16\%$

・純キャッシュ・フロー＝当期純利益（税引後）±法人税等調整額＋当期減価償却実施額＋引当金増減額－剰余金の配当の額

$=92,300-2,500+6,800+\{(3,500+34,900+7,800+35,900+3,400)-(3,700+32,400+9,700+11,100+4,700)\}-28,000=92,500$

B：$総資本事業利益率=\dfrac{事業利益}{総資本^{※}}\times 100=\dfrac{139,400}{(4,332,900+4,425,500)\div 2}\times 100\fallingdotseq 3.183\cdots\%=3.18\%$

・事業利益＝経常利益＋支払利息＋社債利息＝132,900＋5,800＋700＝139,400

C：$立替工事高比率=\dfrac{受取手形+完成工事未収入金+未成工事支出金-未成工事受入金}{完成工事高+未成工事支出金}\times 100$

$=\dfrac{57,900+2,492,200+109,400-290,100}{4,289,900+109,400}\times 100\fallingdotseq 53.858\cdots\%=53.86\%$

D：$受取勘定滞留月数=\dfrac{受取手形+完成工事未収入金}{完成工事高\div 12}=\dfrac{57,900+2,492,200}{4,289,900\div 12}\fallingdotseq 7.133\cdots 月=7.13月$

E：$固定比率=\dfrac{固定資産}{自己資本}\times 100=\dfrac{1,135,200}{1,265,500}\times 100\fallingdotseq 89.703\cdots\%=89.70\%$

F：$配当性向=\dfrac{配当金}{当期純利益}\times 100=\dfrac{28,000}{92,300}\times 100\fallingdotseq 30.335\cdots\%=30.34\%$

G：$労働装備率=\dfrac{(有形固定資産-建設仮勘定)^{※}}{総職員数^{※}}$

$=\dfrac{\{(610,300-116,500)+(646,200-158,600)\}\div 2}{(26人+24人)\div 2}=19,628千円$

H：$自己資本比率=\dfrac{自己資本}{総資本}\times 100=\dfrac{1,265,500}{4,425,500}\times 100\fallingdotseq 28.595\cdots\%=28.60\%$

I：$借入金依存度=\dfrac{短期借入金+長期借入金+社債}{総資本}\times 100=\dfrac{274,600+183,800+300,000}{4,425,500}\times 100$

$\fallingdotseq 17.137\cdots\%=17.14\%$

J：資本金経常利益率 $=\dfrac{\text{経常利益}}{\text{資本金}^{※}}\times 100=\dfrac{132,900}{(304,500+304,500)\div 2}\times 100\fallingdotseq 43.645\cdots\%$

$=43.65\%$

問２　算定にあたって期中平均値を使用することが望ましい比率については，便宜上，第33期末残高の数値を用いて算定することに留意すること。

［1］は，「一定期間にどの程度運動したか」という記述により，「活動性（カ）」だと分かる。活動性分析において，回転期間の分母に用いられるのは，完成工事高なので，［2］は「完成工事高（ク）」が正解となる。しかし，未成工事支出金の回転率や回転期間をとらえるためには，同じ工事原価と比較することが好ましいので，［3］は「完成工事原価（シ）」を選択する。なお，経営事項審査の経営状況の審査内容で用いられているのが，負債回転期間であり，この数値は小さい方が好ましい。このことから，［4］と［5］の正解の組み合わせは，それぞれ「負債（ア）」と「小さい（エ）」である。

［6］は，「企業の仕入，販売，代金回収活動に関する回転期間を総合的に判断する指標」という記述により，また用語群の中からだと，「キャッシュ・コンバージョン・サイクル（オ）」が最も適当である。

・キャッシュ・コンバージョン・サイクル

=棚卸資産回転日数+売上債権回転日数−仕入債務回転日数

キャッシュ・コンバージョン・サイクル（Cash Conversion Cycle：CCC）は，企業の仕入，販売，代金回収活動に関する回転期間を総合的に判断する指標である。棚卸資産回転日数や売上債権回転日数は，代金回収に何日かかるかを示す指標であり，そこから代金の支払いに何日かかるのかを控除することにより，必要運転資金の日数が計算される。代金回収期間は短く，代金支払期間は長い方が資金を有効に活用できるので，キャッシュ・コンバージョン・サイクルは短い方が望ましい。これらのことから，［7］〜［9］の正解の組み合わせは，それぞれ順に「棚卸資産（ニ）」，「売上債権（コ）」，「仕入債務（ウ）」となる。

・棚卸資産回転日数+売上債権回転日数

$=\dfrac{\text{未成工事支出金}+\text{材料貯蔵品}}{\text{完成工事高}\div 365}+\dfrac{\text{受取手形}+\text{完成工事未収入金}}{\text{完成工事高}\div 365}$

$=\dfrac{\text{未成工事支出金}+\text{材料貯蔵品}+\text{受取手形}+\text{完成工事未収入金}}{\text{完成工事高}\div 365}$

$=\dfrac{109,400+20,200+57,900+2,492,200}{4,289,900\div 365}\fallingdotseq 227.9\cdots$ 日 =「227（ホ）」日［10］（小数点未満切り捨て）

問題

〔第1問〕 総合評価の手法に関する次の問に解答しなさい。各問ともに指定した字数以内で記入すること。 (20点)

問1 指数法について説明しなさい。(250字)

問2 「経営事項審査」における総合評点の特徴について説明しなさい。(250字)

解答&解説

問1

指数法とは、標準状態にあるものの指数を百とし、分析
対象の指数が百を上回るか否かを基準に経営状態を総合
的に評価する方法である。指数法の基本手続は、①分析
目的に応じた複数の比率の選定・ウェイト付け、②比率
の算定・評点化、③その合計値に基づく総合評価の3段
階から構成される。指数法は、採用したすべての指標が
基準比率を超えれば良好で、基準比率未満であれば、不
良な結果であると仮定する。よって、固定比率等のよう
な小である方が良好とするものについては、計算式の分
母と分子を逆にして計算する必要がある。

問２

10　20　25

経営事項審査における総合評点の特徴については、次の
２つが挙げられる。①経営事項審査では、考課法の手法
を取り入れていること。考課法とは、いくつかの適切な
分析指標を選択して、各指標にどの程度の範囲ならば何
5 点かの経営考課表を作成しておき、この表のなかに各企
業の実績値を当てはめて評価しようとする方法である。
次に、②経営事項審査では、考課法の総合評価を多変量
解析法によって評点化していること。多変量解析法とは
、複数の変数に関するデータをもとに、これらの変数間
10 の相互関連を分析する統計的技法の総称である。

問１　指数法

指数法とは，数個の分析比率を選択し，このウェイト付けされたポイントの合計が100となるようにした標準比率を定め，これと分析対象の指数を比較して点数化し，100を上回るか否かによって，経営の良否を総合的に判定する方法である。これは，ウォールの開発した方法で，あえてウォール指数法といわれることもある。ウォールの指数法は，従来，信用分析として重視されていた流動比率等の財務比率の統一性のないことに着目して，企業の総合的な評価を可能にする指数の算出法を工夫した。

指数法の計算手順は，次のとおりに実施する。

（１）　数個の分析比率を選択し，比率に「①ウェイト」付けをし，合計が100となるようにする。

（２）　評価対象となる企業の良否を判断するために各比率に効果的な「②基準比率（標準比率）」を設定する。

（３）　各比率について，「③評価対象企業の分析データ」を計算する。

（４）　各比率について，「②基準比率（標準比率）」と「③評価対象企業の分析データ」を対

比した「④対比比率」を計算する。

（5）「①ウェイト」と「④対比比率」を乗じて，各比率の「⑤評価指数」を求める。

（6）「⑤評価指数」の合計が，100を上回るか否かによって，経営の良否を総合的に判定する。

この手順の中で注意すべきことは，次の2点である。

ア．指数法は，採用したすべての指標は，基準比率を超えれば良好で，基準比率未満であれば，不良な結果であると仮定する。よって，固定比率や固定長期適合比率のような小である方が良好とするものについては，計算式の分母と分子を逆にして計算する必要があること。

イ．対比比率の計算は，総額対比法と差額対比法とがある。前者は100を挟んで，それ以上は良好，100未満は不良と評価するが，後者は100をどれほど超えたか，また満たなかったかを表示すること。

指数法が合理的であるための鍵は，採用された指標のウェイト付けと基準数値の妥当性にある。また，いまひとつ改善をするならば，各指標についての上限値と下限値を設定して，異常な数値の全体に与える影響を制限することである。

問2　「経営事項審査」における総合評点の特徴

建設業における企業経営の総合評価には，「経営事項審査」（いわゆる経審）がある。国，地方公共団体，公団等の発注する建設工事，すなわち公共工事については，一般に，競争入札の方法が採用されてきているが，この入札に参加する資格を客観的に評価する必要がある。経営事項審査は，このような競争入札の制度に参加する資格を判定するために実施される企業評価制度として確立されている。

まず，経営事項審査には，考課法の手法を取り入れているところに特徴がある。考課法とは，いくつかの適切な分析指標を選択して，各指標にどの程度の範囲ならば何点かの経営考課表を作成しておき，この表のなかに各企業の実績値を当てはめて評価しようとする方法である。

次に，経営事項審査には，上記の「考課法の総合評価」を，さらに多変量解析法によって評点化しているところに特徴がある。多変量解析法とは，複数の変数に関するデータをもとに，これらの変数間の相互関連を分析する統計的技法の総称である。様々な総合評価の方法には，いずれも分析者の主観的な要素が入り込む可能性を残している。統計学の多変量解析の手法は，このような要素をできる限り客観化するためのもので，情報の説明，予測，分類，要約，位置付けなどのために活用されている。

財務分析の総合評価に利用される多変量解析法の手法には，以下のようなものが挙げられる。

（1） 主成分分析法

（2） 因子分析法

（3） 判別分析法

経営事項審査の総合評価法は，以上の諸方法を総合的に活用して展開したものである。

問題

〔第2問〕 次の文中の [　　] に入る最も適当な用語を下記の<用語群>から選び、その記号（ア～へ）を解答用紙の所定の欄に記入しなさい。 （15点）

生産性分析の中心概念は [1] である。一般にこの計算方法は2つあるが、建設業においては [2] が採用されており、その算式は、 [3] －（ [4] ＋外注費）で示される。『建設業の経営分析』では、この [1] を [5] と呼ぶこともある。

投下資本がどれほど生産性に貢献したかという生産的効率を意味するものが [6] である。その計算において、分子に [1] を、分母に有形固定資産が使用される [6] を [7] という。なお、有形固定資産の金額は、現在の有効投資を示すものでなければならないので、 [8] の分はそこから除外される。他方、従業員1人当たりが生み出した [1] を示すものが、 [9] である。この [9] は、 [7] と [10] の積で求めることもでき、 [11] と [12] の積で求めることもできる。なお、 [11] は1人当たり総資本を示すものである。また、 [9] と [13] の積で求められるのが、1人当たりの人件費すなわち賃金水準となる。

<用語群>

ア 完成工事原価	イ 経費	ウ 無形固定資産	エ 資本集約度
オ 付加価値	カ 減価償却費	キ 資本生産性	ク 総職員数
コ 労務費	サ 完成工事高	シ 未稼働投資	ス 設備投資効率
セ 完成工事総利益	ソ 加算法	タ 材料費	チ 完成加工高
ト 労務外注費	ナ 控除法	ニ 労働装備率	ネ 総資本投資効率
ノ 労働生産性	ハ 純付加価値	フ 総合生産性	へ 労働分配率

解答＆解説

記号（ア～へ）

1	2	3	4	5	6	7	8	9	10	11	12	13
オ	ナ	サ	タ	チ	キ	ス	シ	ノ	ニ	エ	ネ	へ

生産性分析の中心概念は，付加価値である。よって， [1] は，「付加価値（オ）」である。付加価値の計算方法には，「企業活動の成果（一般的には売上高）から付加価値としないものを控除する方法（控除法）」と，「付加価値とみなす項目を加算していく方法（加算法）」がある。

建設業では，控除法[2]が採用されており，以下のような算式で求められる。

・付加価値＝完成工事高[3]－（材料費[4]＋外注費）

これらのことから，[2]～[4]の正解の組み合わせは，それぞれ「控除法（ナ）」，「完成工事高（サ）」および「材料費（タ）」となる。また，『建設業の経営分析』においては，建設業の付加価値は次の算式によって求めており，この付加価値を完成加工高と呼ぶこともある。よって，[5]は，「完成加工高（チ）」が入る。

・完成加工高[5]＝完成工事高－（材料費＋労務外注費＋外注費）

[6]は，「投下資本」と「生産性」というキーワードにより，「資本生産性（キ）」だと分かる。一般的に，資本生産性は，次のような算式で求めることになる。

$$\text{・資本生産性（\%）}=\frac{\text{付加価値}}{\text{資本}}$$

しかし，実際の資本生産性分析では，分母の資本は，固定資産あるいは有形固定資産の金額を使用することが多い。なぜならば，労働生産性に対応する資本生産性では，従業員に対応する投下資本は主として設備投資だからである。したがって，具体的には，資本生産性は，次の２種の比率を用いることが多い。

$$\text{・資本生産性（\%）}=\frac{\text{付加価値}}{\text{固定資産}}\cdots\text{〈狭義の資本生産性〉}$$

$$\text{・資本生産性（\%）}=\frac{\text{付加価値}}{\text{有形固定資産}}\cdots\text{〈設備投資効率〉}$$

このことから，[7]は，「設備投資効率（ス）」が正解となる。[8]は，「現在の有効投資」というキーワードにより，「未稼働投資（シ）」が適当である。そして，[9]は，「従業員１人当たりが生み出した～」という記述により，「労働生産性（ノ）」が入る。労働生産性は，以下のような算式で求められる。

$$\text{・労働生産性（円）}=\frac{\text{付加価値}}{\text{従業員数}}$$

さらに，上記の労働生産性を，設備投資効率の分母の「有形固定資産」を介して分解すると，以下のような展開式となる。よって，[10]は，「労働装備率（ニ）」が正解になる。

$$\text{・労働生産性（円）}=\frac{\text{付加価値}}{\text{従業員数}}=\frac{\text{有形固定資産}}{\text{従業員数}}\times\frac{\text{付加価値}}{\text{有形固定資産}}=\text{労働装備率}\boxed{10}\times\text{設備投資効率}$$

[11]は，「１人当たり総資本を示すもの」という記述により，「資本集約度（エ）」だと分かる。上記の労働生産性を，総資本を介して分解すると，以下のような展開式となる。よって，[12]は，「総資本投資効率（ネ）」となる。

・労働生産性（円）$=\frac{付加価値}{従業員数}=\frac{総資本}{従業員数}\times\frac{付加価値}{総資本}=$資本集約度[11]×総資本投資効率[12]

また，「１人当たりの人件費」を，「付加価値」を介して分解すると，以下のような展開式となる。したがって，[13]は，「労働分配率（へ）」を選択する。なお，労働分配率は，付加価値に占める人件費の割合を示し，人件費が適正な水準かどうかを評価することができる。

・１人当たりの人件費（円）$=\frac{人件費}{従業員数}=\frac{付加価値}{従業員数}\times\frac{人件費}{付加価値}=$労働生産性×労働分配率[13]

〔第3問〕 次の<資料>に基づいて（A）～（D）の金額を算定するとともに、支払勘定回転率も算定し、解答用紙の所定の欄に記入しなさい。この会社の会計期間は1年である。なお、解答に際しての端数処理については、解答用紙の指定のとおりとする。（20点）

<資料>

1．貸借対照表

貸借対照表

（単位：百万円）

（資産の部）		（負債の部）	
現金預金	×××	支払手形	×××
受取手形	31,640	工事未払金	×××
完成工事未収入金	（ A ）	短期借入金	9,190
未成工事支出金	14,590	未払法人税等	3,500
材料貯蔵品	×××	未成工事受入金	（ B ）
流動資産合計	×××	流動負債合計	×××
建物	16,000	長期借入金	×××
機械装置	9,100	固定負債合計	×××
工具器具備品	3,200	負債合計	128,310
車両運搬具	×××	（純資産の部）	
建設仮勘定	900	資本金	×××
土地	×××	資本剰余金	×××
投資有価証券	25,000	利益剰余金	9,090
固定資産合計	×××	純資産合計	×××
資産合計	×××	負債純資産合計	×××

2．損益計算書（一部抜粋）

損益計算書

（単位：百万円）

完成工事高	×××
完成工事原価	（ C ）
完成工事総利益	×××
販売費及び一般管理費	15,730
営業利益	×××
営業外収益	
受取利息配当金	880
その他	（ D ）
営業外費用	
支払利息	600
その他	255
経常利益	×××

3．関連データ（注1）

総資本経常利益率	2.50％	現金預金手持月数	1.50月
経営資本回転期間	9.80月	固定長期適合比率（注3）	90.00％
流動比率（注2）	110.00％	有利子負債月商倍率	1.20月
当座比率（注2）	109.70％	金利負担能力	7.00倍
自己資本比率	35.00％		

（注1） 算定にあたって期中平均値を使用することが望ましい比率についても、便宜上、期末残高の数値を用いて算定している。

（注2） 流動比率及び当座比率の算定は、建設業特有の勘定科目の金額を控除する方法によっている。

（注3） 固定長期適合比率の算定は、一般的な方法によっている。

解答＆解説

（A）	51810	百万円	（百万円未満を切り捨て）
（B）	16500	百万円	（　同　　上　）
（C）	190950	百万円	（　同　　上　）
（D）	1590	百万円	（　同　　上　）
支払勘定回転率	2.41	回	（小数点第３位を四捨五入し、第２位まで記入）

（単位：百万円）

① 自己資本比率$=\dfrac{\text{自己資本}}{\text{総資本}}\times 100=35.00\%$　　∴自己資本＝総資本×35％

② 総資本＝負債合計＋自己資本[①]＝負債合計＋総資本×35％

総資本×（100％－35％）＝負債合計

∴総資本＝負債合計÷65％＝128,310÷65％＝197,400

③ 自己資本＝総資本[②]×35％＝197,400×35％＝69,090

④ 経営資本＝総資本[②]－（建設仮勘定＋投資有価証券）＝197,400－（900＋25,000）

＝171,500

⑤ 経営資本回転期間$=\dfrac{\text{経営資本}^{④}}{\text{完成工事高}\div 12}=\dfrac{171,500}{\text{完成工事高}\div 12}=9.80$月　　∴完成工事高＝210,000

⑥ 有利子負債月商倍率$=\dfrac{\text{短期借入金}+\text{長期借入金}}{\text{完成工事高}^{⑤}\div 12}=\dfrac{9,190+\text{長期借入金}}{210,000\div 12}=1.20$月

∴長期借入金＝11,810

⑦ 固定長期適合比率$=\dfrac{\text{固定資産}}{\text{固定負債}^{⑥}+\text{自己資本}^{③}}\times 100=\dfrac{\text{固定資産}}{11,810+69,090}\times 100=90.00\%$

∴固定資産＝72,810

⑧ 流動資産＝総資本[②]－固定資産[⑦]＝197,400－72,810＝124,590

⑨ 流動負債＝負債合計－固定負債[⑥]＝128,310－11,810＝116,500

⑩　流動比率$=\dfrac{\text{流動資産}^{⑧}-\text{未成工事支出金}}{\text{流動負債}^{⑨}-\text{未成工事受入金}}\times100=\dfrac{124,590-14,590}{116,500-\text{未成工事受入金}}\times100=110.00\%$

∴未成工事受入金（B）＝16,500

⑪　現金預金手持月数$=\dfrac{\text{現金預金}}{\text{完成工事高}^{⑤}\div12}=\dfrac{\text{現金預金}}{210,000\div12}=1.50$月　　∴現金預金＝26,250

⑫　当座比率$=\dfrac{\text{現金預金}^{⑪}+\text{受取手形}+\text{完成工事未収入金}}{\text{流動負債}^{⑨}-\text{未成工事受入金}^{⑩}}\times100$

$=\dfrac{26,250+31,640+\text{完成工事未収入金}}{116,500-16,500}\times100=109.70\%$

∴完成工事未収入金（A）＝51,810

⑬　金利負担能力$=\dfrac{\text{営業利益}+\text{受取利息配当金}}{\text{支払利息}}=\dfrac{\text{営業利益}+880}{600}=7.00$倍　∴営業利益＝3,320

⑭　営業利益[⑬]＝完成工事高[⑤]－完成工事原価－販売費及び一般管理費

＝210,000－完成工事原価－15,730＝3,320

∴完成工事原価（C）＝190,950

⑮　総資本経常利益率$=\dfrac{\text{経常利益}}{\text{総資本}^{②}}\times100=\dfrac{\text{経常利益}}{197,400}\times100=2.50\%$　　∴経常利益＝4,935

⑯　経常利益[⑮]＝営業利益[⑬]＋営業外収益－営業外費用

＝3,320＋（880＋その他の営業外収益）－（600＋255）＝4,935

∴その他の営業外収益（D）＝1,590

⑰　支払勘定（支払手形＋工事未払金）

＝流動負債[⑨]－短期借入金－未払法人税等－未成工事受入金[⑩]

＝116,500－9,190－3,500－16,500＝87,310

⑱　支払勘定回転率$=\dfrac{\text{完成工事高}^{⑤}}{\text{支払勘定}^{⑰}}=\dfrac{210,000}{87,310}\fallingdotseq2.405\cdots$回＝2.41回

〔第４問〕　次の<資料>に基づき、下記の設問に答えなさい。なお、解答に際しての端数処理については、解答用紙の指定のとおりとする。　（15点）

<資料>

第５期・第６期の完成工事高および総費用

	完成工事高	総　費　用
第５期	35,112,000千円	28,460,200千円
第６期	32,200,000千円	26,480,040千円

問１　高低２点法によって費用分解を行い、第６期の変動費率を求めなさい。

問２　第６期の固定費を求めなさい。

問３　第６期の損益分岐点の完成工事高を求めなさい。

問４　第６期の損益分岐点比率を求めなさい。

問５　建設業における慣行的な固変区分による損益分岐点比率や変動費が上記の設問で求めた解答数値と等しく、支払利息の金額はゼロであると仮定したとき、第６期の販売費及び一般管理費の金額を求めなさい。

解答&解説

	解答	単位	
問１	68.00	%	（小数点第３位を四捨五入し、第２位まで記入）
問２	4584040	千円	（千円未満を切り捨て）
問３	14325125	千円	（　同　　上　）
問４	44.49	%	（小数点第３位を四捨五入し、第２位まで記入）
問５	4584249	千円	（千円未満を切り捨て）

（単位：千円）

問１　高低２点法

高低２点法とは，二つの異なった稼働水準（操業水準）における費用額を測定して，その差額の推移から固定費部分と変動費部分を区分する方法である。変動費率法と呼ばれることもある。

$$\text{・第6期の変動費率} = \frac{\text{第5期の総費用} - \text{第6期の総費用}}{\text{第5期の完成工事高} - \text{第6期の完成工事高}} \times 100$$

$$= \frac{28,460,200 - 26,480,040}{35,112,000 - 32,200,000} \times 100 = 68.00\%$$

問2　第6期の固定費

$$\text{・固定費} = \text{総費用} - \text{変動費} = \text{総費用} - \text{完成工事高} \times \text{変動費率}^{\text{※問1}}$$

$$= 26,480,040 - 32,200,000 \times 68.00\% = 4,584,040$$

問3　第6期の損益分岐点完成工事高

$$\text{・損益分岐点完成工事高} = \frac{\text{固定費}^{\text{※問2}}}{1 - \text{変動費率}^{\text{※問1}}} = \frac{4,584,040}{1 - 0.68} = 14,325,125$$

問4　第6期の損益分岐点比率

$$\text{・損益分岐点比率} = \frac{\text{損益分岐点完成工事高}^{\text{※問3}}}{\text{実際完成工事高}} \times 100$$

$$= \frac{14,325,125}{32,200,000} \times 100 \fallingdotseq 44.487\cdots\% = 44.49\%$$

問5

建設業において，変動費と固定費は慣行的に以下のように区分されている。

変動費	固定費
(1)工事原価 (2)支払利息以外の営業外費用で営業外収益で賄えない部分	(1)販売費及び一般管理費 (2)支払利息

上記のことから建設業における慣行的な変動費は，次のように求めることができる。

①変動費＝完成工事原価(1)＋(営業外費用－支払利息－営業外収益)(2)
　　　　＝完成工事原価－営業外収益＋営業外費用－支払利息

また，建設業における慣行的な固変区分を前提とすると，損益分岐点比率は次のような算式で計算することになる。

$$\text{・損益分岐点比率(別法)} = \frac{\text{販売費及び一般管理費} + \text{支払利息}}{\text{完成工事総利益} + \text{営業外収益} - \text{営業外費用} + \text{支払利息}} \times 100$$

$$= \frac{\text{販売費及び一般管理費} + \text{支払利息}}{(\text{完成工事高} - \text{完成工事原価}) + \text{営業外収益} - \text{営業外費用} + \text{支払利息}} \times 100$$

$$= \frac{\text{販売費及び一般管理費} + \text{支払利息}}{\text{完成工事高} - (\text{完成工事原価} - \text{営業外収益} + \text{営業外費用} - \text{支払利息})} \times 100$$

$$= \frac{\text{販売費及び一般管理費} + \text{支払利息}}{\text{完成工事高} - \text{変動費}^{①}} \times 100$$

$$= \frac{\text{販売費及び一般管理費} + \text{支払利息}}{\text{完成工事高} - (\text{完成工事高} \times \text{変動費率}^{※問1})} \times 100$$

$$= \frac{\text{販売費及び一般管理費} + \text{支払利息}}{\text{完成工事高} \times (1 - \text{変動費率}^{※問1})} \times 100$$

$$= \frac{\text{販売費及び一般管理費} + 0}{32,200,000 \times (1 - 0.68)} \times 100 = 44.49\%^{※問4}$$

$$\therefore \text{販売費及び一般管理費} = 4,584,249.6 = 4,584,249$$

問題

〔第5問〕 A建設株式会社の第31期（決算日：20×5年3月31日）及び第32期（決算日：20×6年3月31日）の財務諸表並びにその関連データは<**別添資料**>のとおりであった。次の設問に解答しなさい。 （30点）

問1　第32期について、次の諸比率（A～J）を算定しなさい。期中平均値を使用することが望ましい数値については、そのような処置をすること。また、Fの完成工事高増減率がプラスの場合は「A」、マイナスの場合は「B」を解答用紙の所定の欄に記入しなさい。なお、解答に際しての端数処理については、解答用紙の指定のとおりとする。

A　経営資本営業利益率
B　立替工事高比率
C　運転資本保有月数
D　借入金依存度
E　棚卸資産滞留月数
F　完成工事高増減率
G　営業キャッシュ・フロー対流動負債比率
H　配当率
I　未成工事収支比率
J　労働装備率

問2　同社の財務諸表とその関連データを参照しながら、次に示す文中の［　　］の中に入れるべき最も適当な用語・数値を下記の<用語・数値群>の中から選び、その記号（ア～ヤ）で解答しなさい。期中平均値を使用することが望ましい数値については、そのような処置をし、小数点第3位を四捨五入している。

出資者の見地から投下資本の収益性を判断するための指標が、［ 1 ］である。証券市場では、この［ 1 ］をアルファベット表記では［ 2 ］と呼んでトップマネジメント評価の重要な指標として活用している。この指標の分子の利益としては、一般に［ 3 ］が用いられる。第32期における［ 1 ］は［ 4 ］%である。
この指標は［ 5 ］によって、まず3つの指標に分解することができ、これは、［ 6 ］を［ 7 ］で除する数値とも等しい。［ 6 ］は包括的な収益力を示し、さらに、利益率と［ 8 ］に分けられる。一方、［ 7 ］の逆数は［ 9 ］とも呼ばれる。第32期における［ 8 ］は［ 10 ］回である。

<用語・数値群>

ア	総資本利益率	イ	クロス・セクション	ウ	完成工事高利益率	エ	当期純利益
オ	財務レバレッジ	カ	自己資本利益率	キ	総資本回転率	ク	事業利益
コ	経常利益	サ	経営資本利益率	シ	自己資本比率	ス	営業利益
セ	ＣＣＣ	ソ	ＲＯＥ	タ	ＣＶＰ	チ	デュポンシステム
ト	負債比率	ナ	自己資本回転率	ニ	インタレスト・カバレッジ	ネ	経営資本回転率
ノ	0.67	ハ	0.73	フ	0.74	ヘ	5.58
ホ	6.90	ム	6.97	モ	10.02	ヤ	14.29

第5問<別添資料>

A建設株式会社の第31期及び第32期の財務諸表並びにその関連データ

貸借対照表

(単位：千円)

	第31期 20×5年3月31日現在	第32期 20×6年3月31日現在		第31期 20×5年3月31日現在	第32期 20×6年3月31日現在
(資産の部)			(負債の部)		
Ⅰ　流動資産			Ⅰ　流動負債		
現金預金	216,130	331,560	支払手形	13,370	16,900
受取手形	32,600	27,300	工事未払金	448,000	482,500
完成工事未収入金	1,401,700	1,395,700	短期借入金	74,600	94,800
有価証券	1,240	120	未払金	23,800	18,900
未成工事支出金	48,740	26,100	未払法人税等	45,230	16,600
材料貯蔵品	800	920	未成工事受入金	157,100	115,400
その他流動資産	130,400	119,380	預り金	245,600	256,100
貸倒引当金	△ 1,540	△ 1,520	完成工事補償引当金	4,620	5,400
[流動資産合計]	1,830,070	1,899,560	工事損失引当金	8,630	9,730
Ⅱ　固定資産			その他流動負債	40,100	37,400
1．有形固定資産			[流動負債合計]	1,061,050	1,053,730
建物	155,300	147,800	Ⅱ　固定負債		
構築物	2,300	3,600	社債	110,000	120,000
機械装置	11,700	12,300	長期借入金	233,400	261,700
車両運搬具	600	610	退職給付引当金	48,500	51,000
工具器具備品	4,300	4,100	その他固定負債	124,500	118,300
土地	344,100	346,700	[固定負債合計]	516,400	551,000
建設仮勘定	159,700	222,400	負債合計	1,577,450	1,604,730
有形固定資産合計	678,000	737,510	(純資産の部)		
2．無形固定資産			Ⅰ　株主資本		
のれん	4,400	4,100	1．資本金	198,400	198,400
その他無形資産	7,300	7,400	2．資本剰余金		
無形固定資産合計	11,700	11,500	資本準備金	262,400	262,400
3．投資その他の資産			資本剰余金合計	262,400	262,400
投資有価証券	673,400	566,300	3．利益剰余金		
関係会社株式	8,500	8,500	利益準備金	2,400	2,400
長期貸付金	1,300	1,200	その他利益剰余金	954,600	1,082,680
長期前払費用	980	1,400	利益剰余金合計	957,000	1,085,080
退職給付に係る資産	49,700	50,800	4．自己株式	△ 46,400	△ 80,600
その他投資資産	24,500	59,600	[株主資本合計]	1,371,400	1,465,280
貸倒引当金	△ 19,700	△ 19,660	Ⅱ　評価・換算差額等		
投資その他の資産合計	738,680	668,140	その他有価証券評価差額金	309,600	246,700
[固定資産合計]	1,428,380	1,417,150	[評価・換算差額等合計]	309,600	246,700
			純資産合計	1,681,000	1,711,980
資産合計	3,258,450	3,316,710	負債純資産合計	3,258,450	3,316,710

〔付記事項〕

1．流動資産中の貸倒引当金は、受取手形と完成工事未収入金に対して設定されたものである。
2．その他流動資産は営業活動に伴うものであるが、当座の支払能力を有するものではない。
3．投資その他の資産は、すべて営業活動には直接関係していない資産である。
4．引当金及び有利子負債に該当する項目は、貸借対照表に明記したもの以外にはない。
5．第32期において繰越利益剰余金を原資として実施した配当の額は42,600千円である。

損 益 計 算 書

（単位：千円）

	第31期 自 20×4年4月 1日 至 20×5年3月31日		第32期 自 20×5年4月 1日 至 20×6年3月31日	
Ⅰ 完成工事高		2,207,100		2,424,600
Ⅱ 完成工事原価		1,892,300		2,106,200
完成工事総利益		314,800		318,400
Ⅲ 販売費及び一般管理費		186,000		191,900
営業利益		128,800		126,500
Ⅳ 営業外収益				
受取利息	320		430	
受取配当金	11,800		12,000	
その他営業外収益	11,200	23,320	5,700	18,130
Ⅴ 営業外費用				
支払利息	3,670		3,930	
社債利息	2,200		2,400	
為替差損	130		110	
その他営業外費用	120	6,120	90	6,530
経常利益		146,000		138,100
Ⅵ 特別利益		4,300		32,100
Ⅶ 特別損失		3,100		200
税引前当期純利益		147,200		170,000
法人税、住民税及び事業税	58,100		42,200	
法人税等調整額	△ 5,500	52,600	9,630	51,830
当期純利益		94,600		118,170

〔付記事項〕

1．第32期における有形固定資産の減価償却費及び無形固定資産の償却費の合計額は18,100千円である。

2．その他営業外費用には、他人資本に付される利息は含まれていない。

キャッシュ・フロー計算書（要約）

（単位：千円）

	第31期 自 20×4年4月 1日 至 20×5年3月31日	第32期 自 20×5年4月 1日 至 20×6年3月31日
Ⅰ 営業活動によるキャッシュ・フロー	230	182,900
Ⅱ 投資活動によるキャッシュ・フロー	△ 89,600	△ 27,500
Ⅲ 財務活動によるキャッシュ・フロー	17,200	△ 39,970
Ⅳ 現金及び現金同等物の増加・減少額	△ 72,170	115,430
Ⅴ 現金及び現金同等物の期首残高	288,300	216,130
Ⅵ 現金及び現金同等物の期末残高	216,130	331,560

完成工事原価報告書

（単位：千円）

	第31期 自 20×4年4月 1日 至 20×5年3月31日		第32期 自 20×5年4月 1日 至 20×6年3月31日	
Ⅰ 材料費		340,600		400,200
Ⅱ 労務費		18,900		21,100
（うち労務外注費）	(18,900)		(21,100)	
Ⅲ 外注費		1,173,200		1,326,900
Ⅳ 経費		359,600		358,000
完成工事原価		1,892,300		2,106,200

各期末時点の総職員数

	第31期	第32期
総職員数	26人	28人

解答&解説

〔第5問〕

問1

		解答	単位	備考
A	経営資本営業利益率	5.29	%	(小数点第3位を四捨五入し、第2位まで記入)
B	立替工事高比率	54.42	%	(同上)
C	運転資本保有月数	4.19	月	(同上)
D	借入金依存度	14.37	%	(同上)
E	棚卸資産滞留月数	0.13	月	(同上)
F	完成工事高増減率	9.85	%	(同上) 記号(AまたはB) A
G	営業キャッシュ・フロー対流動負債比率	17.30	%	(同上)
H	配当率	21.47	%	(同上)
I	未成工事収支比率	442.15	%	(同上)
J	労働装備率	19137	千円	(千円未満を切り捨て)

問2

記号(ア〜ヤ)

1	2	3	4	5	6	7	8	9	10
カ	ソ	エ	ム	チ	ア	シ	キ	オ	フ

問１　（単位：千円）※を付した項目は，期中平均値を使用している。

A：経営資本営業利益率 $= \dfrac{\text{営業利益}}{\text{経営資本}^{※}} \times 100 = \dfrac{126,500}{(2,360,070 + 2,426,170) \div 2} \times 100 \fallingdotseq 5.285\cdots\% = 5.29\%$

・経営資本＝総資本－（建設仮勘定＋投資その他の資産）

・第31期経営資本＝3,258,450－（159,700＋738,680）＝2,360,070

・第32期経営資本＝3,316,710－（222,400＋668,140）＝2,426,170

B：立替工事高比率 $= \dfrac{\text{受取手形} + \text{完成工事未収入金} + \text{未成工事支出金} - \text{未成工事受入金}}{\text{完成工事高} + \text{未成工事支出金}} \times 100$

$= \dfrac{27,300 + 1,395,700 + 26,100 - 115,400}{2,424,600 + 26,100} \times 100 \fallingdotseq 54.421\cdots\% = 54.42\%$

C：運転資本保有月数 $= \dfrac{\text{流動資産} - \text{流動負債}}{\text{完成工事高} \div 12} = \dfrac{1,899,560 - 1,053,730}{2,424,600 \div 12} \fallingdotseq 4.186\cdots\text{月} = 4.19\text{月}$

D：借入金依存度 $= \dfrac{\text{短期借入金} + \text{長期借入金} + \text{社債}}{\text{総資本}} \times 100 = \dfrac{94,800 + 261,700 + 120,000}{3,316,710} \times 100$

$\fallingdotseq 14.366\cdots\% = 14.37\%$

E：棚卸資産滞留月数 $= \dfrac{\text{未成工事支出金} + \text{材料貯蔵品}}{\text{完成工事高} \div 12} = \dfrac{26,100 + 920}{2,424,600 \div 12} \fallingdotseq 0.133\cdots\text{月} = 0.13\text{月}$

F：完成工事高増減率 $= \dfrac{\text{当期完成工事高} - \text{前期完成工事高}}{\text{前期完成工事高}} \times 100 = \dfrac{2,424,600 - 2,207,100}{2,207,100} \times 100$

$\fallingdotseq +9.854\cdots\% = +9.85\%$

G：営業キャッシュ・フロー対流動負債比率 $= \dfrac{\text{営業キャッシュ・フロー}}{\text{流動負債}^{※}} \times 100$

$= \dfrac{182,900}{(1,061,050 + 1,053,730) \div 2} \times 100$

$\fallingdotseq 17.297\cdots\% = 17.30\%$

H：配当率 $= \dfrac{\text{配当金}}{\text{資本金}} \times 100 = \dfrac{42,600}{198,400} \times 100 \fallingdotseq 21.471\cdots\% = 21.47\%$

I：未成工事収支比率 $= \dfrac{\text{未成工事受入金}}{\text{未成工事支出金}} \times 100 = \dfrac{115,400}{26,100} \times 100 \fallingdotseq 442.145\cdots\% = 442.15\%$

J：労働装備率 $= \dfrac{(\text{有形固定資産} - \text{建設仮勘定})^{※}}{\text{総職員数}^{※}} = \dfrac{\{(678,000 - 159,700) + (737,510 - 222,400)\} \div 2}{(26\text{人} + 28\text{人}) \div 2}$

$\fallingdotseq 19,137.2\cdots\text{千円} = 19,137\text{千円}$

問 2

自己資本利益率とは，自己資本と利益との比率をいい，出資者の見地から投下資本の収益性を判断するための指標である。すなわち，この比率は，企業資本の出資者たる資本主，株式会社における株主に対する企業の貢献度をあらわしている。証券市場では，株式会社の株主持分に対する企業活動の成果を示すこの自己資本利益率を，株主資本利益率（Return on Equity, ROE）と呼んで，トップ・マネジメント評価の重要な指標として活用している。したがって，［ 1 ］と［ 2 ］の正解の組み合わせは，それぞれ「自己資本利益率（カ）」と「ROE（ソ）」になる。

さて，自己資本利益率の分子すなわち利益としては，一般に，当期純利益が用いられる。なぜならば，それが自己資本に対する理論的な成果報酬を示すものだからである。ただし，現実には，当期純利益のすべてが株主のみに成果配分されるわけではないことはいうまでもない。よって，［ 3 ］は，「当期純利益（エ）」が入る。

・第32期の自己資本当期純利益率［ 4 ］$=\dfrac{\text{当期純利益}}{\text{自己資本}^{※}}\times 100=\dfrac{118,170}{(1,681,000+1,711,980)\div 2}\times 100$

$\fallingdotseq 6.965\cdots\%=$「6.97（ム）」%

また，自己資本利益率は，デュポンシステムと呼ばれる次の式によって分析することができる。したがって，［ 5 ］は，「デュポンシステム（チ）」を選択する。

・自己資本利益率$=\dfrac{\text{利益}}{\text{自己資本}}=\dfrac{\text{利益}}{\text{売上高}}\times\dfrac{\text{売上高}}{\text{総資本}}\times\dfrac{\text{総資本}}{\text{自己資本}}$

$=\underbrace{\text{①売上高利益率}\times\text{②総資本回転率}}_{\text{④総資本利益率}}\div\text{③自己資本比率}$

「①売上高利益率×②総資本回転率」は「④総資本利益率（利益÷総資本）」であり，「総資本÷自己資本」は「③自己資本比率の逆数」であるから，上の算式では，④総資本利益率を③自己資本比率で除しているといえる。これらのことから，［ 6 ］から［ 8 ］の正解の組み合わせは，順に「総資本利益率（ア）」，「自己資本比率（シ）」，「総資本回転率（キ）」となることが分かる。また，「③自己資本比率の逆数」は資本乗数，財務レバレッジとも呼ばれ，この比率が高いことは，他人資本依存度が高く健全性が低いことを意味する。このことから，［ 9 ］は，「財務レバレッジ（オ）」が正解である。

・第32期の総資本回転率［ 10 ］$=\dfrac{\text{完成工事高}}{\text{総資本}^{※}}=\dfrac{2,424,600}{(3,258,450+3,316,710)\div 2}$

$\fallingdotseq 0.737\cdots$回$=$「0.74（フ）」回

令和４年 9月11日実施

問題

〔第１問〕 対完成工事高比率の分析に関する次の問に解答しなさい。各問ともに指定した字数以内で記入すること。 （20点）

問１ 完成工事高利益率と完成工事高対費用比率の関係について説明しなさい。（300字）

問２ 純支払利息比率について説明しなさい。（200字）

解答＆解説

問１

完成工事高利益率とは、一定期間の利益をその期間の完成工事高で除したものであり、完成工事高に対する平均的な利益の大きさをあらわす。完成工事高対費用比率とは、一定期間の費用をその期間の完成工事高で除したものであり、完成工事高に対する平均的な費用の大きさをあらわす。一定期間の利益は、その期間の収益（完成工事高）からその期間の費用を控除して算出される。そのため、完成工事高利益率の分析をさらに進めるためには、完成工事高対費用比率の分析が欠かせない。完成工事高対費用比率は、完成工事高利益率の内容を明らかにするために用いられる比率であり、完成工事高利益率を基礎にして算定されるという関係である。

問2

純支払利息比率とは、完成工事高に対する純支払利息の
比率であり、完成工事高で純支払利息をどれだけ賄って
いるかという一種の金利負担能力を示す指標である。な
お、純支払利息は支払利息から受取利息配当金を控除し
た正味の額をいう。純支払利息比率が高いということは
、その企業の営業活動の規模に比べて借入金等が多すぎ
ることを意味している。したがって、企業の安定性の指
標としては、純支払利息比率は低い方が好ましい。

問1

建設業におけるコストに対峙する成果とは，完成工事高である。利益は，この完成工事高から賄われる多種多様な費用との対比によって達成される純成果といえよう。したがって，究極的な収益性は，いうまでもなく資本利益率によって測定されるべきであるが，具体的，実質的な収益性の分析には，成果たる売上高すなわち建設業の完成工事高と各種の費用との対比分析，そしてその結果としての利益率の分析が不可欠である。対完成工事高比率分析には，大きく区分して次の３つがある。

1．完成工事高利益率の分析（問１）	・完成工事高総利益率 ・完成工事高営業利益率 ・完成工事高経常利益率 ・完成工事高当期純利益率
2．完成工事高対費用比率の分析（問１）	・完成工事高対販売費及び一般管理費率 ・完成工事高対人件費率 ・完成工事高対外注費率 ・完成工事高対金融費用率（問２）など
3．完成工事高対キャッシュ・フロー比率の分析	・完成工事高キャッシュ・フロー率

問2

完成工事高対金融費用率とは，完成工事高に対する金融費用の比率をいい，企業の一種の金利負担能力をあらわしている。

とりわけ借入金依存度の高いわが国の企業にあっては，金融費用がその収益性を大きく左右することがある。したがって，金融費用に係る比率を個別に取り上げて，その金利負担能力を分析することが必要であるといえるだろう。この完成工事高対金融費用率が高いということは，その企業の営業活動の規模に比べて借入金等が多すぎることを意味している。なお，金融費用とは，短期および長期の借入金に対する支払利息，社債発行費償却等をいう。

・完成工事高対金融費用率(％)$=\frac{\text{金融費用}}{\text{完成工事高}}\times 100$

また，一種の金利負担能力として純金融費用を分子にとった比率を用いることもある。純金融費用とは，金融費用から金融収益を控除した正味の額をいう。そして，金融収益は，受取利息あるいは受取配当金等の資金運用によってあげた収益のことである。なお，この比率をもって金利負担率とすることもあるので注意する必要がある。

・純金利負担率(％)$=\frac{\text{金融費用}-\text{金融収益}}{\text{完成工事高}}\times 100$

経営事項審査は，安定性の指標として「純支払利息比率」を取り上げており，これは前述の純金利負担率とほとんど同じ意味を持っている。

・純支払利息比率(％)$=\frac{\text{支払利息}-\text{受取利息配当金}}{\text{完成工事高}}\times 100$

〔第2問〕　財務分析に関する以下の各記述（1～5）のうち、正しいものには「T」、誤っているものには「F」を解答用紙の所定の欄に記入しなさい。（15点）

1．財務分析における比率分析には、構成比率分析・関係比率分析・趨勢比率分析がある。その中で、構成比率分析とは全体数値の中に占める構成要素の数値の比率を算出してその内容を分析する手法であり、百分率法とも呼ばれている。損益計算書では売上高を、貸借対照表では総資産額を100とするものである。

2．借入金依存度とは、短期借入金・長期借入金・社債の総資本に占める割合を測定するものである。一般的に、この比率は低い方が財務健全性は高いと判断される。

3．キャッシュ・フロー計算書の分析においては、営業キャッシュ・フローや純キャッシュ・フローの数値が用いられるが、純キャッシュ・フローは、〈純キャッシュ・フロー＝税引前当期純利益±法人税等調整額＋当期減価償却実施額＋引当金増減額－株主配当金〉で求められる。

4．キャッシュ・コンバージョン・サイクル（CCC）とは、企業の仕入、販売、代金回収活動に関する回転期間を総合的に判断する指標である。この指標は、キャッシュのアウトフローである棚卸資産と仕入債務の回転日数の合計から、キャッシュのインフローである売上債権の回転日数を控除して求められ、資金繰りの観点から数値は大きい方が望ましい。

5．建設業における企業経営の総合評価として「経営事項審査」があるが、これは経営規模・経営状況・技術力・社会性等の総合評点によって審査される。その中で経営状況の具体的な審査内容には、営業キャッシュ・フローや利益剰余金が含まれる。

解答＆解説

記号（TまたはF）

1	2	3	4	5
T	T	F	F	T

問題	正解	解　説
1	T	比率分析とは，相互に関係したデータ間の割合を示す比率によって分析することをいう。実数分析は，生の実数値をそのまま利用・表示して活用するのに対して，この比率分析は，実数値の大小を捨象した比率を分析の基礎とする。したがって，全体におけるバランスや他の比較可能性あるデータとの対比に適しており，財務分析の中心的技法として，広く活用されている。
2	T	借入金依存度は，企業活動に必要な資金のうち，借入金によって調達したものがどの程度あるかを示す比率である。ここでいう企業活動に必要な資金とは，運用資産全体を指すので，分母は総資本となる。この比率が低いことは，借入金の依存度が低いことを意味している。よって，借入金依存度は，企業の財務健全性において，低い方が良好であるといえる。
3	F	純キャッシュ・フローの計算を行う場合，税引前当期純利益ではなく，税引後当期純利益で計算する。
4	F	棚卸資産と仕入債務の回転日数の合計よりも，売上債権の回転日数の方が短ければ，回収速度が速いと考えられる。よって，キャッシュ・コンバージョン・サイクル（CCC）では，資金繰りの観点から，数値は大きい方ではなく，小さい方が望ましい。
5	T	建設業には，公共工事への参加資格審査として「経営事項審査」がある。この経営事項審査では，企業経営状況の判定のために，ごく一般的な財務分析手法が採用され，これらの結果の点数化によって総合評価のデータとしている。

〔第3問〕 次の<資料>に基づいて（ A ）～（ E ）の数値を算定し、解答用紙の所定の欄に記入しなさい。この会社の会計期間は1年である。なお、解答に際しての端数処理については、解答用紙の指定のとおりとする。 (20点)

<資料>

1．貸借対照表

貸借対照表

（単位：百万円）

（資産の部）		（負債の部）	
現金預金	×××	支払手形	12,000
受取手形	54,000	工事未払金	130,000
完成工事未収入金	84,770	短期借入金	×××
未成工事支出金	（ A ）	未払法人税等	1,050
材料貯蔵品	1,080	未成工事受入金	（ C ）
流動資産合計	×××	流動負債合計	×××
建物	37,600	長期借入金	83,000
機械装置	15,800	固定負債合計	83,000
工具器具備品	（ B ）	負債合計	×××
車両運搬具	18,000	（純資産の部）	
建設仮勘定	12,300	資本金	52,000
土地	62,380	資本剰余金	×××
投資有価証券	×××	利益剰余金	×××
固定資産合計	179,580	純資産合計	×××
資産合計	×××	負債純資産合計	×××

2．損益計算書（一部抜粋）

損益計算書

（単位：百万円）

完成工事高	×××
完成工事原価	×××
完成工事総利益	×××
販売費及び一般管理費	131,634
営業利益	×××
営業外収益	
受取利息配当金	×××
その他	2,480
営業外費用	
支払利息	4,800
その他	1,200
経常利益	（ D ）

3．関連データ（注1）

経営資本営業利益率	6.00 %	棚卸資産回転率	24.00 回
自己資本事業利益率	（ E ）%	支払勘定回転率	6.00 回
固定長期適合比率（注2）	82.00 %	現金預金手持月数	0.65 月
経営資本回転期間	5.10 月	金利負担能力	4.90 倍
有利子負債月商倍率	1.25 月		

（注1） 算定にあたって期中平均値を使用することが望ましい比率についても、便宜上、期末残高の数値を用いて算定している。

（注2） 固定長期適合比率の算定は、一般的な方法によっている。

解答＆解説

（A）　34420 百万円　（百万円未満を切り捨て）

（B）　7900 百万円　（　同　上　）

（C）　32200 百万円　（　同　上　）

（D）　20000 百万円　（　同　上　）

（E）　18.24 %　（小数点第３位を四捨五入し、第２位まで記入）

（単位：百万円）

① 支払勘定回転率＝$\frac{\text{完成工事高}}{\text{支払手形}+\text{工事未払金}}=\frac{\text{完成工事高}}{12,000+130,000}=6.00$回

∴完成工事高＝852,000

② 棚卸資産回転率＝$\frac{\text{完成工事高}^{①}}{\text{未成工事支出金}+\text{材料貯蔵品}}=\frac{852,000}{\text{未成工事支出金}+1,080}=24.00$回

∴未成工事支出金（A）＝34,420

③ 現金預金手持月数＝$\frac{\text{現金預金}}{\text{完成工事高}^{①}\div 12}=\frac{\text{現金預金}}{852,000\div 12}=0.65$月

∴現金預金＝46,150

④ 流動資産合計＝現金預金③＋受取手形＋完成工事未収入金＋未成工事支出金②＋材料貯蔵品

＝46,150＋54,000＋84,770＋34,420＋1,080＝220,420

⑤ 総資産＝流動資産合計④＋固定資産合計＝220,420＋179,580＝400,000

⑥ 経営資本回転期間＝$\frac{\text{経営資本}}{\text{完成工事高}^{①}\div 12}=\frac{\text{経営資本}}{852,000\div 12}=5.10$月

∴経営資本＝362,100

⑦ 総資産⑤＝経営資本⑥＋建設仮勘定＋投資有価証券

＝362,100＋12,300＋投資有価証券＝400,000

∴投資有価証券＝25,600

⑧　固定資産合計＝建物＋機械装置＋工具器具備品＋車両運搬具＋建設仮勘定＋土地
＋投資有価証券⑦
＝37, 600＋15, 800＋工具器具備品＋18, 000＋12, 300＋62, 380＋25, 600
＝179, 580

∴工具器具備品（B）＝7, 900

⑨　有利子負債月商倍率＝$\frac{\text{短期借入金＋長期借入金}}{\text{完成工事高①÷12}}$＝$\frac{\text{短期借入金＋83, 000}}{\text{852, 000÷12}}$＝1. 25月

∴短期借入金＝5, 750

⑩　固定長期適合比率＝$\frac{\text{固定資産}}{\text{固定負債＋自己資本}}$×100＝$\frac{\text{179, 580}}{\text{83, 000＋自己資本}}$×100＝82. 00％

∴自己資本＝136, 000

⑪　流動負債合計＝総資本⑤－（固定負債合計＋自己資本⑩）
＝400, 000－（83, 000＋136, 000）＝181, 000

⑫　未成工事受入金（C）＝流動負債合計⑪－支払手形－工事未払金－短期借入金⑨
－未払法人税等
＝181, 000－12, 000－130, 000－5, 750－1, 050＝32, 200

⑬　経営資本営業利益率＝$\frac{\text{営業利益}}{\text{経営資本⑥}}$×100＝$\frac{\text{営業利益}}{\text{362, 100}}$×100＝6. 00％

∴営業利益＝21, 726

⑭　金利負担能力＝$\frac{\text{営業利益⑬＋受取利息配当金}}{\text{支払利息}}$＝$\frac{\text{21, 726＋受取利息配当金}}{\text{4, 800}}$＝4. 90倍

∴受取利息配当金＝1, 794

⑮　経常利益（D）＝営業利益⑬＋（受取利息配当金⑭＋その他の営業外収益）
－（支払利息＋その他の営業外費用）
＝21, 726＋（1, 794＋2, 480）－（4, 800＋1, 200）＝20, 000

⑯　事業利益＝経常利益⑮＋支払利息＝20, 000＋4, 800＝24, 800

⑰　自己資本事業利益率（E）＝$\frac{\text{事業利益⑯}}{\text{自己資本⑩}}$×100＝$\frac{\text{24, 800}}{\text{136, 000}}$×100≒18. 235…％＝18. 24％

問題

〔第４問〕　次の＜資料＞に基づき、下記の設問に答えなさい。なお、解答に際しての端数処理については、解答用紙の指定のとおりとする。　（15 点）

＜資料＞　（金額単位：千円）

1．完成工事高　24,680,000

2．完成工事原価の内訳

材料費	2,145,000	
労務費	234,000	（うち労務外注費：234,000）
外注費	?	
経費	3,238,000	（うち人件費：　2,186,000）

3．販売費及び一般管理費　1,286,800

4．営業外収益・営業外費用（下記のみ）

受取利息配当金：120,000　　支払利息：656,000

5．資産の内訳（期中平均）

流動資産	16,453,000
有形固定資産	4,256,000
（うち建設仮勘定	24,000）
無形固定資産	48,000
投資その他の資産	2,875,000

6．完成工事高営業利益率　6.50 %

7．職員数（期中平均）　技術系　360 人　　事務系　120 人

問１　付加価値率を計算しなさい。

問２　労働生産性を計算しなさい。

問３　付加価値対固定資産比率を計算しなさい。

問４　労働生産性は、付加価値率×労働装備率×［　　　］の３つの要因に分解することができる。［　　　］の要因の数値を計算しなさい。

問５　建設業における慣行的な固定費・変動費の区分に基づいて、経常利益段階での損益分岐点比率を計算しなさい。

解答＆解説

問１　24.83 %　（小数点第３位を四捨五入し、第２位まで記入）

問２　12,768 千円　（千円未満を切り捨て）

問３　85.66 %　（小数点第３位を四捨五入し、第２位まで記入）

問4　　　5.83 回　　　（　同　上　）

問5　　　64.52 %　　　（　同　上　）

問1　（単位：千円）※を付した項目は，期中平均値を使用している。

①　完成工事高営業利益率 $= \dfrac{\text{営業利益}}{\text{完成工事高}} \times 100 = \dfrac{\text{営業利益}}{24,680,000} \times 100 = 6.50\%$

∴営業利益＝1,604,200

②　営業利益[①]＝完成工事高－完成工事原価－販売費及び一般管理費

＝24,680,000－完成工事原価－1,286,800＝1,604,200

∴完成工事原価＝21,789,000

③　完成工事原価[②]＝材料費＋労務費＋外注費＋経費

＝2,145,000＋234,000＋外注費＋3,238,000＝21,789,000

∴外注費＝16,172,000

④　付加価値＝完成工事高－（材料費＋労務外注費＋外注費[③]）

＝24,680,000－（2,145,000＋234,000＋16,172,000）＝6,129,000

⑤　付加価値率 $= \dfrac{\text{付加価値}^{④}}{\text{完成工事高}} \times 100 = \dfrac{6,129,000}{24,680,000} \times 100 \fallingdotseq 24.833\cdots\% = 24.83\%$

問2

⑥　労働生産性 $= \dfrac{\text{付加価値}^{④}}{\text{総職員数}^{※}} = \dfrac{6,129,000}{360\text{人}+120\text{人}} = 12,768.75\text{千円}$

＝12,768千円（千円未満を切り捨て）

問3

⑦　固定資産＝有形固定資産＋無形固定資産＋投資その他の資産

＝4,256,000＋48,000＋2,875,000＝7,179,000

⑧　付加価値対固定資産比率 $= \dfrac{\text{付加価値}^{④}}{\text{固定資産}^{⑦}-\text{建設仮勘定}} \times 100 = \dfrac{6,129,000}{7,179,000-24,000} \times 100$

$\fallingdotseq 85.660\cdots\% = 85.66\%$

（注）資本生産性分析において，分母の資産は実質的に経営活動に貢献しているものを考えるべきなので，建

設仮勘定や遊休の設備資産等は除外している。以下，同じ。

問 4

労働生産性は，完成工事高を介して，有形固定資産を介して，以下のように分解することができる。よって，有形固定資産回転率を求めなければならない。

・$労働生産性=\frac{付加価値}{総職員数}=\frac{付加価値}{完成工事高}\times\frac{完成工事高}{有形固定資産}\times\frac{有形固定資産}{総職員数}$

$=付加価値率\times有形固定資産回転率\times労働装備率$

⑨　$有形固定資産回転率=\frac{完成工事高}{有形固定資産-建設仮勘定}=\frac{24,680,000}{4,256,000-24,000}$

$\fallingdotseq 5.831\cdots回=5.83回$

問 5

⑩　完成工事総利益＝完成工事高－完成工事原価②＝24,680,000－21,789,000

＝2,891,000

⑪　$損益分岐点比率=\frac{販売費及び一般管理費+支払利息}{完成工事総利益⑩+営業外収益-営業外費用+支払利息}\times 100$

$=\frac{1,286,800+656,000}{2,891,000+120,000-656,000+656,000}\times 100$

$\fallingdotseq 64.523\cdots\%=64.52\%$

問題

〔第5問〕　A建設株式会社の第30期（決算日：20×5年3月31日）及び第31期（決算日：20×6年3月31日）の財務諸表並びにその関連データは<**別添資料**>のとおりであった。次の設問に解答しなさい。（30点）

問1　第31期について、次の諸比率（A～J）を算定しなさい。期中平均値を使用することが望ましい数値については、そのような処置をすること。また、Fの総資本増減率がプラスの場合は「A」、マイナスの場合は「B」を解答用紙の所定の欄に記入しなさい。なお、解答に際しての端数処理については、解答用紙の指定のとおりとする。

A　総資本事業利益率
B　未成工事収支比率
C　固定比率
D　受取勘定回転率
E　設備投資効率
F　総資本増減率
G　完成工事高キャッシュ・フロー率
H　配当性向
I　自己資本比率
J　資本集約度

問2　同社の財務諸表とその関連データを参照しながら、次に示す文の［　　］の中に入れるべき最も適当な用語・数値を下記の<用語・数値群>の中から選び、その記号（ア～ヨ）で解答しなさい。期中平均値を使用することが望ましい数値については、そのような処置をし、小数点第3位を四捨五入している。

流動性比率には様々な基本比率や関連比率が存在する。その中で、建設業固有の計算式がある比率としては、当座比率の他に［1］や［2］がある。これら三種類の比率のいずれの比率にも用いられている勘定科目が［3］である。通常、この勘定科目を使用する銀行家比率ともよばれる［1］より、［3］等を用いない［1］のほうが［4］数値となっている。また、この三種類の比率の中で、［3］を分子に用いるものが［2］である。建設業では他産業と比較して、この数値は［5］ことが特徴である。流動性に関する分析には、他にも資産滞留月数分析がある。その中で、滞留月数をより厳密に算出する場合に、分母に完成工事高ではなく、［6］を用いるべき指標が［7］滞留月数である。このときの［6］を用いた第31期における［7］滞留月数は［8］月である。なお、分子に加算及び減算項目のある指標が［9］滞留月数であり、第31期における［9］滞留月数は、［10］月である。

<用語・数値群>

ア　未成工事収支比率	イ　棚卸資産	ウ　未成工事受入金	エ　立替工事高比率
オ　流動比率	カ　受取勘定	キ　完成工事未収入金	ク　必要運転資金
コ　未成工事支出金	サ　自己資本	シ　当座資産	ス　流動負債比率
セ　完成工事原価	ソ　総資本	タ　高い	チ　低い
ト　同じ	ナ　工事未払金	ニ　支払手形	ネ　0.18
ノ　0.19	ハ　0.20	フ　0.22	ヘ　0.25
ホ　2.32	ム　2.62	モ　2.99	ヤ　3.23
ヨ　3.35			

第５問＜別添資料＞

A建設株式会社の第30期及び第31期の財務諸表並びにその関連データ

貸借対照表

（単位：千円）

	第30期 20×5年3月31日現在	第31期 20×6年3月31日現在		第30期 20×5年3月31日現在	第31期 20×6年3月31日現在
（資産の部）			（負債の部）		
Ⅰ　流動資産			Ⅰ　流動負債		
現金預金	751,600	713,400	支払手形	234,100	214,100
受取手形	823,400	841,500	工事未払金	731,000	631,400
完成工事未収入金	1,104,200	1,182,300	電子記録債務	295,800	374,400
有価証券	6,300	6,000	短期借入金	40,800	41,700
未成工事支出金	78,600	64,500	未払法人税等	30,900	38,400
材料貯蔵品	1,700	1,600	未成工事受入金	199,300	119,300
未収入金	298,300	294,800	預り金	294,900	346,200
その他流動資産	73,900	75,500	完成工事補償引当金	4,200	4,700
貸倒引当金	△ 2,200	△ 2,300	工事損失引当金	4,700	1,600
［流動資産合計］	3,135,800	3,177,300	その他流動負債	179,400	134,300
Ⅱ　固定資産			［流動負債合計］	2,015,100	1,906,100
1．有形固定資産			Ⅱ　固定負債		
建物	84,200	92,300	長期借入金	81,900	77,300
構築物	13,100	13,400	退職給付引当金	162,400	166,300
機械装置	48,300	49,200	その他固定負債	112,300	18,500
車両運搬具	11,300	11,500	［固定負債合計］	356,600	262,100
工具器具備品	44,900	45,200	負債合計	2,371,700	2,168,200
土地	147,900	151,100	（純資産の部）		
建設仮勘定	3,200	3,800	Ⅰ　株主資本		
有形固定資産合計	352,900	366,500	1．資本金	301,100	301,100
2．無形固定資産			2．資本剰余金		
ソフトウェア	400	500	資本準備金	251,600	251,600
その他無形資産	5,000	5,100	資本剰余金合計	251,600	251,600
無形固定資産合計	5,400	5,600	3．利益剰余金		
3．投資その他の資産			利益準備金	5,600	5,600
投資有価証券	193,200	254,100	その他利益剰余金	918,600	1,173,500
関係会社株式	35,600	36,800	利益剰余金合計	924,200	1,179,100
長期貸付金	7,800	6,400	4．自己株式	△ 4,500	△ 4,500
破産更生債権等	300	300	［株主資本合計］	1,472,400	1,727,300
繰延税金資産	103,300	72,500	Ⅱ　評価・換算差額等		
その他投資資産	22,900	20,200	その他有価証券評価差額金	11,000	42,400
貸倒引当金	△ 2,100	△ 1,800	［評価・換算差額等合計］	11,000	42,400
投資その他の資産合計	361,000	388,500	純資産合計	1,483,400	1,769,700
［固定資産合計］	719,300	760,600			
資産合計	3,855,100	3,937,900	負債純資産合計	3,855,100	3,937,900

〔付記事項〕

1．流動資産中の貸倒引当金は、受取手形と完成工事未収入金に対して設定されたものである。
2．その他流動資産は営業活動に伴うものであるが、当座の支払能力を有するものではない。
3．投資その他の資産は、すべて営業活動には直接関係していない資産である。
4．引当金及び有利子負債に該当する項目は、貸借対照表に明記したもの以外にはない。
5．第31期において繰越利益剰余金を原資として実施した配当の額は66,000千円である。

損 益 計 算 書

（単位：千円）

	第30期	自 20×4年4月 1日 至 20×5年3月31日	第31期	自 20×5年4月 1日 至 20×6年3月31日
Ⅰ 完成工事高		4,361,500		4,502,300
Ⅱ 完成工事原価		3,906,500		4,021,500
完成工事総利益		455,000		480,800
Ⅲ 販売費及び一般管理費		200,600		280,700
営業利益		254,400		200,100
Ⅳ 営業外収益				
受取利息	400		400	
受取配当金	3,300		3,700	
その他営業外収益	3,200	6,900	4,900	9,000
Ⅴ 営業外費用				
支払利息	1,900		1,900	
債権売却損	500		300	
為替差損	200		100	
その他営業外費用	1,700	4,300	1,900	4,200
経常利益		257,000		204,900
Ⅵ 特別利益		20,700		1,400
Ⅶ 特別損失		7,200		24,500
税引前当期純利益		270,500		181,800
法人税、住民税及び事業税	61,800		66,300	
法人税等調整額	14,400	76,200	15,400	81,700
当期純利益		194,300		100,100

〔付記事項〕

1．第31期における有形固定資産の減価償却費及び無形固定資産の償却費の合計額は20,800千円である。

2．その他営業外費用には、他人資本に付される利息は含まれていない。

キャッシュ・フロー計算書（要約）

（単位：千円）

	第30期 自 20×4年4月 1日 至 20×5年3月31日	第31期 自 20×5年4月 1日 至 20×6年3月31日
Ⅰ 営業活動によるキャッシュ・フロー	3,500	66,000
Ⅱ 投資活動によるキャッシュ・フロー	△ 22,900	△ 43,100
Ⅲ 財務活動によるキャッシュ・フロー	△ 53,600	△ 61,100
Ⅳ 現金及び現金同等物の増加・減少額	△ 73,000	△ 38,200
Ⅴ 現金及び現金同等物の期首残高	824,600	751,600
Ⅵ 現金及び現金同等物の期末残高	751,600	713,400

完成工事原価報告書

（単位：千円）

	第30期	自 20×4年4月 1日 至 20×5年3月31日	第31期	自 20×5年4月 1日 至 20×6年3月31日
Ⅰ 材料費		781,300		844,600
Ⅱ 労務費		39,100		40,300
（うち労務外注費）	(39,100)		(40,300)	
Ⅲ 外注費		2,578,300		2,613,900
Ⅳ 経費		507,800		522,700
完成工事原価		3,906,500		4,021,500

各期末時点の総職員数

	第30期	第31期
総職員数	60人	62人

解答&解説

問1

	項目	解答	単位	備考
A	総資本事業利益率	5.31	%	(小数点第3位を四捨五入し、第2位まで記入)
B	未成工事収支比率	184.96	%	(同 上)
C	固定比率	42.98	%	(同 上)
D	受取勘定回転率	2.28	回	(同 上)
E	設備投資効率	281.72	%	(同 上)
F	総資本増減率	2.15	%	(同 上) 記号(AまたはB) A
G	完成工事高キャッシュ・フロー率	1.59	%	(同 上)
H	配当性向	65.93	%	(同 上)
I	自己資本比率	44.94	%	(同 上)
J	資本集約度	63877	千円	(千円未満を切り捨て)

問2

記号(ア～ヨ)

1	2	3	4	5	6	7	8	9	10
オ	ス	ウ	チ	タ	セ	イ	ハ	ク	モ

問1（単位：千円）※を付した項目は，期中平均値を使用している。

A：総資本事業利益率 $= \dfrac{\text{事業利益}}{\text{総資本}^{※}} \times 100 = \dfrac{206,800}{(3,855,100+3,937,900) \div 2} \times 100$

$\fallingdotseq 5.307\cdots\% = 5.31\%$

・事業利益＝経常利益＋支払利息＝204,900＋1,900＝206,800

B：未成工事収支比率 $= \dfrac{\text{未成工事受入金}}{\text{未成工事支出金}} \times 100 = \dfrac{119,300}{64,500} \times 100 \fallingdotseq 184.961\cdots\% = 184.96\%$

C：固定比率 $= \dfrac{\text{固定資産}}{\text{自己資本}} \times 100 = \dfrac{760,600}{1,769,700} \times 100 \fallingdotseq 42.979\cdots\% = 42.98\%$

D：受取勘定回転率 $= \dfrac{\text{完成工事高}}{(\text{受取手形}+\text{完成工事未収入金})^{※}}$

$= \dfrac{4,502,300}{\{(823,400+1,104,200)+(841,500+1,182,300)\} \div 2}$

$\fallingdotseq 2.278\cdots$回＝2.28回

E：設備投資効率 $= \dfrac{\text{付加価値}}{(\text{有形固定資産}-\text{建設仮勘定})^{※}} \times 100$

$= \dfrac{1,003,500}{\{(352,900-3,200)+(366,500-3,800)\} \div 2} \times 100$

$\fallingdotseq 281.723\cdots\% = 281.72\%$

・付加価値＝完成工事高－（材料費＋労務外注費＋外注費）

＝4,502,300－（844,600＋40,300＋2,613,900）＝1,003,500

F：総資本増減率 $= \dfrac{\text{当期末総資本}-\text{前期末総資本}}{\text{前期末総資本}} \times 100$

$= \dfrac{3,937,900-3,855,100}{3,855,100} \times 100 \fallingdotseq +2.147\cdots\% = +2.15\%$

G：完成工事高キャッシュ・フロー率 $= \dfrac{\text{純キャッシュ・フロー}}{\text{完成工事高}} \times 100 = \dfrac{71,400}{4,502,300} \times 100$

$\fallingdotseq 1.585\cdots\% = 1.59\%$

・純キャッシュ・フロー＝当期純利益±法人税等調整額＋当期減価償却実施額＋引当金増減額

－剰余金の配当の額

＝100,100＋15,400＋20,800＋{(2,300＋1,800＋4,700＋1,600

＋166,300)－(2,200＋2,100＋4,200＋4,700＋162,400)}－66,000

$=71,400$

H：配当性向 $=\frac{\text{配当金}}{\text{当期純利益}}\times 100=\frac{66,000}{100,100}\times 100\fallingdotseq 65.934\cdots\%=65.93\%$

I：自己資本比率 $=\frac{\text{自己資本}}{\text{総資本}}\times 100=\frac{1,769,700}{3,937,900}\times 100\fallingdotseq 44.940\cdots\%=44.94\%$

J：資本集約度 $=\frac{\text{総資本}^{※}}{\text{総職員数}^{※}}=\frac{(3,855,100+3,937,900)\div 2}{(60\text{人}+62\text{人})\div 2}\fallingdotseq 63,877.0\cdots\text{千円}=63,877\text{千円}$

問2

流動性分析において，建設業固有の計算式がある比率（いわゆる「別法」がある比率）は，「流動性比率」，「当座比率」及び「流動負債比率」である。

・流動比率（%）$=\frac{\text{流動資産}-\text{未成工事支出金}}{\text{流動負債}-\text{未成工事受入金}}\times 100$

・当座比率（%）$=\frac{\text{当座資産}}{\text{流動負債}-\text{未成工事受入金}}\times 100$

・流動負債比率（%）$=\frac{\text{流動負債}-\text{未成工事受入金}}{\text{自己資本}}\times 100$

［ 1 ］は，「銀行家比率」というキーワードにより，「流動比率（オ）」だと分かる。これにより，［ 2 ］は，上記の比率のうち当座比率，流動比率以外が入るので，「流動負債比率（ス）」が正解となる。そして，上記のいずれの比率にも用いられている勘定科目は未成工事受入金なので，［ 3 ］は「未成工事受入金（ウ）」が入る。

建設業において，通常の状態では，未成工事受入金と未成工事支出金の対比比率が，必要な資金を必要な量だけ賄う100%前後であることが多い。ということは，未成工事関連の対比を除外すれば，流動比率は良くなることが予想される。つまり，建設業固有の流動比率の数値は，一般的な流動比率の数値よりも高くなることを意味している。逆に言い換えると，建設業固有の流動比率の数値より，一般的な流動比率の数値の方が低くなるということである。よって，［ 4 ］は「低い（チ）」が正解である。また，建設業は，資本金や自己資本の大きさに比べて，特に流動負債の金額が大きい産業の典型である。このような建設業の特徴により，建設業では他の産業と比較して，流動負債比率が高い傾向にある。よって，［ 5 ］は，「高い（タ）」が適切である。

棚卸資産の滞留月数をより厳密に算出する場合には，分母は完成工事高ではなく，当期発生総工事原価あるいは完成工事原価を用いるべきだと考えられている。よって，［ 6 ］と［ 7 ］の正解の組み合わせは，それぞれ「完成工事原価（セ）」と「棚卸資産（イ）」となる。

・棚卸資産滞留月数［ 8 ］$= \dfrac{\text{未成工事支出金}+\text{材料貯蔵品}}{\text{完成工事原価}\div 12} = \dfrac{64,500+1,600}{4,021,500\div 12}$

$\fallingdotseq 0.197\cdots$月 =「0.20（ハ）」月

資産滞留月数分析で，分子に加算及び減算項目がある指標は，必要運転資金滞留月数である。よって，［ 9 ］は，「必要運転資金（ク）」が入る。

・必要運転資金滞留月数［ 10 ］

$= \dfrac{\text{受取手形}+\text{完成工事未収入金}+\text{未成工事支出金}-\text{支払手形}-\text{工事未払金}-\text{未成工事受入金}}{\text{完成工事高}\div 12}$

$= \dfrac{841,500+1,182,300+64,500-214,100-631,400-119,300}{4,502,300\div 12}$

$\fallingdotseq 2.994\cdots$月 =「2.99（モ）」月

問題

〔第１問〕 外部分析に関する次の問に解答しなさい。各問ともに指定した字数以内で記入すること。 (20点)

問１ 外部分析の目的を各利害関係者の観点から説明しなさい。(250字)

問２ 外部分析の限界について説明しなさい。(250字)

解答＆解説

問１

外部分析とは、企業外部の関係者のニーズによって、企
業から公表されたデータに基づいて実施される財務分析
をいう。利害関係者の代表的なものは、①投資家、②株
主、③銀行等があげられる。①投資家の目的は、企業の
株式あるいは債券を購入すべきか否かの投資意思決定の
情報を得ることである。②株主の目的は、企業が適切な
収益力を保有しているか否か、あるいは自身の保有する
株式を売却すべきか否かの判断資料を得ることである。
③銀行等の目的は、企業が債務を返済していく能力を有
しているか否かの判定資料を得ることである。

問2

10　20　25

外部分析は、企業が公表した財務データ等に基づいて、
企業外部の利害関係者が財務分析を実施する。そこで、
分析対象企業の財務データ等が公表されていない場合や
、それが入手できない場合は、外部分析を実施すること
5 ができない。そして、入手できた財務データ等の範囲内
でしか、外部分析を実施することができない。これらの
ことから、外部分析は情報の非対称下（受け手の情報が
限定される状況）での財務分析となることがわかる。外
部分析の特徴は制約された情報の範囲内での分析だとい
10 え、この特徴こそが外部分析の限界である。

財務分析の目的は，それを誰が実施するかすなわち分析の主体によって異なるものである。しかしながら，財務分析の主体とは，実際の分析作業を誰が実施するかという意味ではなく，むしろ，誰の利用のために実施するかという視点が大切である。その財務分析の主体が，企業外部に所属するか，企業内部に所属するかによって，財務分析は「外部分析」と「内部分析」とに区分される。

外部分析とは，企業外部の関係者のニーズによって，企業から公表されたデータに基づいて実施される財務分析をいう。ここでの外部の関係者とは，必ずしも利害関係者ばかりとはいえないが，ほとんどは当該企業の盛衰と何らかの利害を有する者である。利害関係者の代表的なものは，投資家，株主，銀行等の与信者などであるが，それらと分析の目的は次のようなものである。

	財務分析を行う目的
1．投資家	企業の株式あるいは債券を購入すべきか否かの投資意思決定の情報を得るため。
2．株主	企業が適切な収益力を保有しているか否か，あるいは自身の保有する株式を売却すべきか否かの判断資料を得るため。
3．銀行等	企業が債務を返済していく能力を有しているか否かの判定資料を得るため。これは，短期的な運転資本に目を向けた支払能力ということになるが，結局は企業の収益力にも注視していくことになる。
4．監査人	企業の経理もしくは会計が，適正妥当な会計基準に従って処理されたか否かの監査を進めるための参考資料を得るため。
5．税務当局	企業の申告した所得が適正に算定されたか否かについて，多角的な視点からの情報を得るため。
6．組合	ベースアップや手当等の交渉にあたって，要求のための適切な根拠を設定する資料を得るため。

いずれにしても，これらの外部分析においては，制約された情報の範囲内での分析が特徴的である。言い換えれば，情報の非対称下（受け手の情報が限定される状況）での財務分析となる。

問題

〔第2問〕 次の文中の [　　] に入る最も適当な用語を下記の<用語群>から選び、その記号（ア～ノ）を解答用紙の所定の欄に記入しなさい。 (15点)

建設業の特性は、単品産業であり移動産業であることから、他の産業と比べて貸借対照表上の [1] の構成比が相対的に低く、逆に [2] の構成比が高い。そのため、生産性分析上の [3] は低く、 [4] は高くなる傾向がある。

損益計算書に関していえば、一般の総合建設会社は、工事を請け負うと工事ごとに数多くの専門の工事業者である下請業者に発注するため、 [5] の割合が高く、 [6] 率が高い。また、 [1] と関連した [7] が比較的少ない。通常、 [7] は [6] の [8] に組み入れられるが、 [9] の [7] も製造業に対比して大幅に低いといえる。

<用語群>

ア　労働装備率	イ　未成工事受入金	ウ　固定資産	エ　外注費
オ　完成工事高総利益	カ　流動資産	キ　営業外費用	ク　未成工事支出金
コ　材料費	サ　減価償却費	シ　設備投資効率	ス　経費
セ　付加価値率	ソ　労務費	タ　固定長期適合比率	チ　未成工事収支比率
ト　完成工事原価	ナ　支払利息	ニ　完成工事未収入金	ネ　立替工事高比率
ノ　販売費及び一般管理費			

解答&解説

記号（ア～ノ）

1	2	3	4	5	6	7	8	9
ウ	カ	ア	シ	エ	ト	サ	ス	ノ

建設業の特性の一つに，単品産業であり，移動産業であることが挙げられる。その特性により，大規模建設業にあっても，機械装置や工場建物などの固定資産の保有が比較的少ないと考えられる。そのため，建設業は労働力に頼る比重が高くなってしまい，いわゆる労働集約型産業といわれている。よって，建設業の財務分析では，労働生産性の測定が重視されることになる。このような内容から，［ 1 ］は「固定資産（ウ）」が入ると推測される。固定資産の構成比が相対的に低いということは，流動資産の構成比が高いということができる。よって，［ 2 ］は「流動資産（カ）」だと分かる。

前述にあるように，建設業の財務分析では，労働生産性の測定が重視される。労働生産性は，以下のように分解することができる。したがって，［ 3 ］と［ 4 ］の正解の組み合わせは，それぞれ「労働装備率（ア）」と「設備投資効率（シ）」になる。ちなみに，労働装備率では，分子の固定資産が比較的小さいので，その値は低くなる傾向にある。設備投資効率では，分母の固定資産が比較的小さいので，その値は高くなる傾向にある。

$$
\cdot 労働生産性（円）=\frac{付加価値}{総職員数}=\frac{有形固定資産-建設仮勘定}{総職員数}\times\frac{付加価値}{有形固定資産-建設仮勘定}
$$

$$
=労働装備率\times設備投資効率
$$

［ 5 ］は，「専門の工事業者である下請業者に発注」という記述により，「外注費（エ）」が入る。固定資産について，損益計算書に関連すると考えられるのは減価償却費だと考えられる。よって，［ 7 ］は「減価償却費（サ）」だと推測できる。その減価償却費（工事原価）は，完成工事原価の経費に算入される。よって，［ 6 ］と［ 8 ］の正解の組み合わせは，それぞれ「完成工事原価（ト）」と「経費（ス）」となる。工事原価以外の減価償却費は，一般に期間費用に分類されるので，［ 9 ］は「販売費及び一般管理費（ノ）」が適当である。

〔第３問〕　次の<資料>に基づいて（　Ａ　）～（　Ｄ　）の金額を算定するとともに、自己資本経常利益率も算定し、解答用紙の所定の欄に記入しなさい。この会社の会計期間は１年である。なお、解答に際しての端数処理については、解答用紙の指定のとおりとする。　(20点)

<資料>

1．貸借対照表

貸借対照表

（単位：百万円）

（資産の部）		（負債の部）	
現金預金	（　Ａ　）	支払手形	×××
受取手形	×××	工事未払金	×××
完成工事未収入金	196,000	短期借入金	35,200
未成工事支出金	×××	未払法人税等	47,600
材料貯蔵品	1,000	未成工事受入金	68,000
流動資産合計	×××	流動負債合計	388,000
建物	104,000	長期借入金	×××
機械装置	36,400	固定負債合計	×××
工具器具備品	12,800	負債合計	×××
車両運搬具	32,000	（純資産の部）	
建設仮勘定	18,000	資本金	156,000
土地	×××	資本剰余金	（　Ｃ　）
投資有価証券	（　Ｂ　）	利益剰余金	60,000
固定資産合計	×××	純資産合計	×××
資産合計	×××	負債純資産合計	×××

2．損益計算書（一部抜粋）

損益計算書

（単位：百万円）

完成工事高	840,000
完成工事原価	×××
完成工事総利益	×××
販売費及び一般管理費	41,900
営業利益	×××
営業外収益	
受取利息配当金	（　Ｄ　）
その他	1,400
営業外費用	
支払利息	2,700
その他	610
経常利益	×××

3．関連データ（注１）

経営資本営業利益率	4.50％	流動比率（注２）	120.00％
棚卸資産滞留月数	1.25月	受取勘定滞留月数	4.20月
金利負担能力	12.30倍	借入金依存度	16.90％
経営資本回転率	1.20回	総資本回転率	1.05回

（注１）　算定にあたって期中平均値を使用することが望ましい比率についても、便宜上、期末残高の数値を用いて算定している。

（注２）　流動比率の算定は、建設業特有の勘定科目の金額を控除する方法によっている。

解答&解説

(A)	89000	百万円	(百万円未満を切り捨て)
(B)	82000	百万円	(同 上)
(C)	96000	百万円	(同 上)
(D)	1710	百万円	(同 上)
自己資本経常利益率	10.03	%	(小数点第3位を四捨五入し、第2位まで記入)

(単位:百万円)

① 受取勘定滞留月数 $=\dfrac{\text{受取手形}+\text{完成工事未収入金}}{\text{完成工事高}\div 12}=\dfrac{\text{受取手形}+196,000}{840,000\div 12}=4.20\text{月}$

∴受取手形 = 98,000

② 棚卸資産滞留月数 $=\dfrac{\text{未成工事支出金}+\text{材料貯蔵品}}{\text{完成工事高}\div 12}=\dfrac{\text{未成工事支出金}+1,000}{840,000\div 12}=1.25\text{月}$

∴未成工事支出金 = 86,500

③ 流動比率 $=\dfrac{\text{流動資産}-\text{②未成工事支出金}}{\text{流動負債}-\text{未成工事受入金}}\times 100=\dfrac{\text{流動資産}-86,500}{388,000-68,000}\times 100=120.00\%$

∴流動資産合計 = 470,500

④ 現金預金 = ③流動資産合計 − (①受取手形 + 完成工事未収入金 + ②未成工事支出金 + 材料貯蔵品)
= 470,500 − (98,000 + 196,000 + 86,500 + 1,000) = 89,000 (A)

⑤ 総資本回転率 $=\dfrac{\text{完成工事高}}{\text{総資本}}=\dfrac{840,000}{\text{総資本}}=1.05\text{回}$ ∴総資本 = 800,000

⑥ 経営資本 = ⑤総資本 − (建設仮勘定 + 投資有価証券) = 800,000 − (18,000 + 投資有価証券)
= 782,000 − 投資有価証券

⑦ 経営資本回転率 $=\dfrac{\text{完成工事高}}{\text{⑥経営資本}}=\dfrac{840,000}{782,000-\text{投資有価証券}}=1.20\text{回}$

∴投資有価証券 = 82,000 (B)

⑧　借入金依存度＝$\frac{\text{短期借入金＋長期借入金}}{\text{⑤総資本}}$×100＝$\frac{\text{35, 200＋長期借入金}}{\text{800, 000}}$×100＝16. 90％

∴長期借入金（固定負債合計）＝100, 000

⑨　純資産合計（自己資本）＝⑤総資本－（流動負債合計＋⑧固定負債合計）

＝800, 000－（388, 000＋100, 000）＝312, 000

⑩　資本剰余金＝⑨純資産合計－（資本金＋利益剰余金）

＝312, 000－（156, 000＋60, 000）＝96, 000（Ｃ）

⑪　経営資本（⑥）＝⑤総資本－（建設仮勘定＋⑦投資有価証券）

＝800, 000－（18, 000＋82, 000）＝700, 000

⑫　経営資本営業利益率＝$\frac{\text{営業利益}}{\text{⑪経営資本}}$×100＝$\frac{\text{営業利益}}{\text{700, 000}}$×100＝4. 50％　　∴営業利益＝31, 500

⑬　金利負担能力＝$\frac{\text{⑫営業利益＋受取利息配当金}}{\text{支払利息}}$＝$\frac{\text{31, 500＋受取利息配当金}}{\text{2, 700}}$＝12. 30倍

∴受取利息配当金＝1, 710（Ｄ）

⑭　経常利益＝⑫営業利益＋営業外収益－営業外費用

＝31, 500＋（⑬1, 710＋1, 400）－（2, 700＋610）＝31, 300

⑮　自己資本経常利益率＝$\frac{\text{⑭経常利益}}{\text{⑨自己資本}}$×100＝$\frac{\text{31, 300}}{\text{312, 000}}$×100≒10. 032…％＝10. 03％

問題

〔第4問〕 次の<資料>に基づき、下記の問に答えなさい。なお、解答に際しての端数処理については、解答用紙の指定のとおりとする。

(15点)

<資料>

第5期

1．損益分岐点の完成工事高	¥58,497,000
2．変動費	¥43,003,200
3．完成工事高総利益率	15.0％
4．安全余裕率	7.5％（分子は安全余裕の金額を用いている）
5．変動的資本	総資本の75.0％
6．総資本回転率	1.2回（総資本は期中平均ではなく期末資本を用いている）

問1 第5期の完成工事高を求めなさい。

問2 第5期の資本回収点の完成工事高を求めなさい。

問3 第5期の固定費を求めなさい。

問4 損益分岐点比率の数値が、建設業における慣行的な区分による固定費と変動費に分ける方法によって求めた損益分岐点比率と同じであり、営業外損益は支払利息¥214,000のみであると仮定したとき、第5期の完成工事高営業利益率を求めなさい。

問5 第6期の目標利益を¥1,500,000としたときの完成工事高を求めなさい。なお、変動費率は第5期と同じであり、固定費は第5期と比べて¥1,000,000の増加が見込まれているとする。

解答&解説

問1	63240	千円	（千円未満を切り捨て）
問2	35133	千円	（ 同 上 ）
問3	18719	千円	（ 同 上 ）
問4	1.46	%	（小数点第3位を四捨五入し、第2位まで記入）
問5	66309	千円	（千円未満を切り捨て）

問1

① $安全余裕率 = \frac{安全余裕額}{実際の完成工事高} \times 100 = \frac{実際の完成工事高 - 損益分岐点の完成工事高}{実際の完成工事高} \times 100$

$= \frac{実際の完成工事高 - ¥58,497,000}{実際の完成工事高} \times 100 = 7.5\%$

※ここから①の展開式である。

② 実際の完成工事高－¥58, 497, 000＝実際の完成工事高×0. 075

③ 実際の完成工事高×(1. 000－0. 075)＝¥58, 497, 000

④ 実際の完成工事高＝¥58, 497, 000÷0. 925＝¥63, 240, 000＝63, 240千円

問2

① $総資本回転率 = \frac{完成工事高^{※問1}}{総資本} = \frac{63,240千円}{総資本} = 1.2回$　　∴総資本＝52, 700千円

② 変動的資本＝①総資本×75％＝¥52, 700, 000×75％＝¥39, 525, 000

③ 固定的資本＝①総資本－②変動的資本＝¥52, 700, 000－¥39, 525, 000＝¥13, 175, 000

④ $資本回収点の完成工事高 = \frac{③固定的資本}{1 - \frac{②変動的資本}{完成工事高^{※問1}}} = \frac{¥13,175,000}{1 - \frac{¥39,525,000}{¥63,240,000}} = \frac{¥13,175,000}{0.375}$

≒¥35, 133, 333. 3…＝35, 133千円

問3

① $損益分岐点の完成工事高 = \frac{固定費}{1 - \frac{変動費}{完成工事高^{※問1}}} = \frac{固定費}{1 - \frac{¥43,003,200}{¥63,240,000}} = \frac{固定費}{0.32} = ¥58,497,000$

∴固定費＝¥18, 719, 040＝18, 719千円

問4

① $損益分岐点比率 = \frac{損益分岐点の完成工事高}{実際の完成工事高^{※問1}} \times 100 = \frac{¥58,497,000}{¥63,240,000} \times 100 = 92.5\%$

② 完成工事総利益＝完成工事高[※問1]×完成工事高総利益率＝¥63, 240, 000×15％＝¥9, 486, 000

③ $損益分岐点比率（別法） = \frac{販売費及び一般管理費 + 支払利息}{②完成工事総利益 + 営業外収益 - 営業外費用 + 支払利息} \times 100$

$= \frac{販売費及び一般管理費 + ¥214,000}{¥9,486,000 + ¥0 - ¥214,000 + ¥214,000} \times 100 = ①92.5\%$

∴販売費及び一般管理費＝¥8, 560, 550

④　営業利益＝②完成工事総利益－③販売費及び一般管理費＝￥9, 486, 000－￥8, 560, 550

＝￥925, 450

⑤　完成工事高営業利益率＝$\frac{\text{④営業利益}}{\text{完成工事高}^{※問1}}$×100＝$\frac{\text{￥925, 450}}{\text{￥63, 240, 000}}$×100＝1. 463…％≒1. 46％

問 5

①　変動費率＝$\frac{\text{変動費}}{\text{完成工事高}^{※問1}}$×100＝$\frac{\text{￥43, 003, 200}}{\text{￥63, 240, 000}}$×100＝68％

②　完成工事高＝$\frac{\text{固定費}^{※問3}\text{＋目標利益}}{\text{1－①変動費率}}$＝$\frac{\text{（￥18, 719, 040＋￥1, 000, 000）＋￥1, 500, 000}}{\text{100％－68％}}$

＝￥66, 309, 500＝66, 309千円

問題

〔第5問〕 東海建設株式会社の第29期（決算日：20×5年3月31日）及び第30期（決算日：20×6年3月31日）の財務諸表並びにその関連データは<別添資料>のとおりであった。次の設問に解答しなさい。 （30点）

問1 第30期について、次の諸比率（A～J）を算定しなさい。期中平均値を使用することが望ましい数値については、そのような処置をすること。ただし、Dの当座比率は、建設業特有の勘定科目の金額を控除する方法により算定すること。また、Hの完成工事高増減率がプラスの場合は「A」、マイナスの場合は「B」を解答用紙の所定の欄に記入しなさい。なお、解答に際しての端数処理については、解答用紙の指定のとおりとする。

A 自己資本事業利益率
B 立替工事高比率
C 運転資本保有月数
D 当座比率
E 負債回転期間
F 支払勘定回転率
G 付加価値率
H 完成工事高増減率
I 資本集約度
J 配当率

問2 同社の財務諸表とその関連データを参照しながら、次に示す文中の［　］に入れるべき最も適当な用語・数値を下記の<用語・数値群>から選び、その記号（ア～モ）で解答しなさい。期中平均値を使用することが望ましい数値については、そのような処置をし、小数点第3位を四捨五入している。

安全性分析の一つである健全性分析は、さらに、自己資本と他人資本とのバランスなどを見る［1］分析、有形固定資産と長期的な調達資本とのバランスなどを見る［2］分析、そして利益分配性向分析の三つに分けられる。［1］分析において、指標の数値が高いほど財務の健全性に懸念が生じるのが、［3］と［4］である。この両指標の数値を比較するとより低い数値となるのが［3］であり、第30期における同比率は、［5］%となっている。また、自己資本比率と同様に数値が高いほど望ましく、債務の返済にあたって企業が営業活動から内部的に創出した資金で返済を行うことができるかを見る指標が［6］である。［2］分析において、一般に固定資産への投資は自己資本の範囲内で実施することが理想とされており、これを判断するための指標が［7］である。建設業において大企業のこの数値は、中小企業の数値と比べると［8］のが一般的である。また、流動比率と表裏の関係にあるのが［9］である。第30期における同比率は、［10］%となっている。

<用語・数値群>

ア 流動負債比率	イ 固定負債比率	ウ 大きい	エ 流動性
オ 固定資産回転率	カ 資本構造	キ 活動性	ク 負債比率
コ 投資構造	サ 固定比率	シ 固定長期適合比率	ス 変わらない
セ 負債回転期間	ソ 有利子負債	タ 小さい	チ 付加価値対固定資産比率
ト 営業キャッシュ・フロー対負債比率		ナ 完成工事高キャッシュ・フロー率	
ニ 28.89	ネ 57.41	ノ 63.23	ハ 65.98
フ 66.23	ヘ 68.40	ホ 95.31	ム 223.56
モ 231.73			

第5問＜別添資料＞

東海建設株式会社の第29期及び第30期の財務諸表並びにその関連データ

貸借対照表

（単位：千円）

	第29期 20×5年3月31日現在	第30期 20×6年3月31日現在
（資産の部）		
Ⅰ　流動資産		
現金預金	203,900	426,300
受取手形	12,900	13,100
完成工事未収入金	1,768,300	1,531,800
有価証券	450	480
未成工事支出金	229,100	216,700
材料貯蔵品	25,400	28,900
短期貸付金	1,000	1,200
その他流動資産	192,300	221,400
貸倒引当金	△ 200	△ 100
［流動資産合計］	2,433,150	2,439,780
Ⅱ　固定資産		
1．有形固定資産		
建物	122,700	123,400
構築物	74,700	69,800
機械装置	43,880	48,700
車両運搬具	64,500	75,400
工具器具備品	37,200	46,500
土地	143,400	143,400
建設仮勘定	1,700	5,400
有形固定資産合計	488,080	512,600
2．無形固定資産		
ソフトウェア	5,000	5,800
その他無形資産	21,200	27,900
無形固定資産合計	26,200	33,700
3．投資その他の資産		
投資有価証券	148,400	196,400
関係会社株式	60,700	79,200
長期貸付金	7,200	112,000
長期前払費用	570	540
繰延税金資産	39,800	28,200
その他投資資産	70,400	88,980
貸倒引当金	△ 47,600	△ 32,900
投資その他の資産合計	279,470	472,420
［固定資産合計］	793,750	1,018,720
資産合計	3,226,900	3,458,500

	第29期 20×5年3月31日現在	第30期 20×6年3月31日現在
（負債の部）		
Ⅰ　流動負債		
支払手形	115,200	65,600
工事未払金	767,900	646,900
電子記録債務	325,700	297,800
短期借入金	115,000	86,700
未払金	79,600	80,900
未払法人税等	35,600	14,600
未成工事受入金	211,800	256,100
完成工事補償引当金	9,200	7,500
工事損失引当金	3,300	9,900
その他流動負債	110,900	218,300
［流動負債合計］	1,774,200	1,684,300
Ⅱ　固定負債		
社債	—	50,000
長期借入金	283,300	495,200
退職給付引当金	134,100	131,000
その他固定負債	41,800	29,100
［固定負債合計］	459,200	705,300
負債合計	2,233,400	2,389,600
（純資産の部）		
Ⅰ　株主資本		
1．資本金	120,000	120,000
2．資本剰余金		
資本準備金	3,800	3,400
資本剰余金合計	3,800	3,400
3．利益剰余金		
利益準備金	12,700	16,500
その他利益剰余金	910,900	960,000
利益剰余金合計	923,600	976,500
4．自己株式	△ 31,200	△ 35,100
［株主資本合計］	1,016,200	1,064,800
Ⅱ　評価・換算差額等		
その他有価証券評価差額金	△ 22,700	4,100
［評価・換算差額等合計］	△ 22,700	4,100
純資産合計	993,500	1,068,900
負債純資産合計	3,226,900	3,458,500

〔付記事項〕

1．流動資産中の貸倒引当金は、受取手形と完成工事未収入金に対して設定されたものである。
2．その他流動資産は営業活動に伴うものであるが、当座の支払能力を有するものではない。
3．投資その他の資産は、すべて営業活動には直接関係していない資産である。
4．引当金及び有利子負債に該当する項目は、貸借対照表に明記したもの以外にはない。
5．第30期において繰越利益剰余金を原資として実施した配当の額は37,900千円である。

損益計算書

(単位：千円)

	第29期 自 20×4年4月 1日 至 20×5年3月31日		第30期 自 20×5年4月 1日 至 20×6年3月31日	
Ⅰ 完成工事高		4,724,100		4,216,200
Ⅱ 完成工事原価		4,247,300		3,826,900
完成工事総利益		476,800		389,300
Ⅲ 販売費及び一般管理費		229,100		233,500
営業利益		247,700		155,800
Ⅳ 営業外収益				
受取利息	7,730		4,140	
受取配当金	2,830		3,760	
その他営業外収益	2,520	13,080	4,880	12,780
Ⅴ 営業外費用				
支払利息	7,540		10,820	
社債利息	—		1,000	
為替差損	5,350		8,940	
その他営業外費用	8,910	21,800	17,200	37,960
経常利益		238,980		130,620
Ⅵ 特別利益		160		9,010
Ⅶ 特別損失		1,510		4,640
税引前当期純利益		237,630		134,990
法人税、住民税及び事業税	72,550		37,570	
法人税等調整額	2,690	75,240	2,190	39,760
当期純利益		162,390		95,230

〔付記事項〕

1．第30期における有形固定資産の減価償却費及び無形固定資産の償却費の合計額は31,400千円である。

2．その他営業外費用には、他人資本に付される利息は含まれていない。

キャッシュ・フロー計算書（要約）

(単位：千円)

	第29期 自 20×4年4月 1日 至 20×5年3月31日	第30期 自 20×5年4月 1日 至 20×6年3月31日
Ⅰ 営業活動によるキャッシュ・フロー	△ 180,100	167,230
Ⅱ 投資活動によるキャッシュ・フロー	△ 34,160	△ 26,820
Ⅲ 財務活動によるキャッシュ・フロー	8,370	81,990
Ⅳ 現金及び現金同等物の増加・減少額	△ 205,890	222,400
Ⅴ 現金及び現金同等物の期首残高	409,790	203,900
Ⅵ 現金及び現金同等物の期末残高	203,900	426,300

完成工事原価報告書

(単位：千円)

	第29期 自 20×4年4月 1日 至 20×5年3月31日		第30期 自 20×5年4月 1日 至 20×6年3月31日	
Ⅰ 材料費		849,460		727,100
Ⅱ 労務費		46,000		39,000
（うち労務外注費）	(46,000)		(39,000)	
Ⅲ 外注費		2,760,800		2,372,600
Ⅳ 経費		591,040		688,200
完成工事原価		4,247,300		3,826,900

各期末時点の総職員数

	第29期	第30期
総職員数	42人	40人

解答&解説

問1

		解答	単位	
A	自己資本事業利益率	13.81	%	(小数点第3位を四捨五入し、第2位まで記入)
B	立替工事高比率	33.96	%	(同 上)
C	運転資本保有月数	2.15	月	(同 上)
D	当座比率	138.05	%	(同 上)
E	負債回転期間	6.80	月	(同 上)
F	支払勘定回転率	3.80	回	(同 上)
G	付加価値率	25.56	%	(同 上)
H	完成工事高増減率	10.75	%	(同 上) 記号(AまたはB) B
I	資本集約度	81529	千円	(千円未満を切り捨て)
J	配当率	31.58	%	(小数点第3位を四捨五入し、第2位まで記入)

問2

記号(ア〜モ)

1	2	3	4	5	6	7	8	9	10
カ	コ	イ	ク	ハ	ト	サ	タ	シ	ニ

問１　(単位：千円) ※を付した項目は，期中平均値を使用している。

A：自己資本事業利益率 $= \dfrac{\text{事業利益}}{\text{自己資本}^{※}} \times 100 = \dfrac{142,440}{(993,500+1,068,900) \div 2} \times 100 \fallingdotseq 13.813\cdots\%$

$= 13.81\%$

・事業利益＝経常利益＋支払利息＋社債利息＝130,620＋10,820＋1,000＝142,440

B：立替工事高比率 $= \dfrac{\text{受取手形}+\text{完成工事未収入金}+\text{未成工事支出金}-\text{未成工事受入金}}{\text{完成工事高}+\text{未成工事支出金}} \times 100$

$= \dfrac{13,100+1,531,800+216,700-256,100}{4,216,200+216,700} \times 100 \fallingdotseq 33.961\cdots\% = 33.96\%$

C：運転資本保有月数 $= \dfrac{\text{流動資産}-\text{流動負債}}{\text{完成工事高} \div 12} = \dfrac{2,439,780-1,684,300}{4,216,200 \div 12} \fallingdotseq 2.150\cdots\text{月} = 2.15\text{月}$

D：当座比率 $= \dfrac{\text{当座資産}}{\text{流動負債}-\text{未成工事受入金}} \times 100 = \dfrac{1,971,580}{1,684,300-256,100} \times 100 \fallingdotseq 138.046\cdots\%$

$= 138.05\%$

・当座資産＝現金預金＋受取手形＋完成工事未収入金－貸倒引当金＋有価証券

＝426,300＋13,100＋1,531,800－100＋480＝1,971,580

E：負債回転期間 $= \dfrac{\text{流動負債}+\text{固定負債}}{\text{完成工事高} \div 12} = \dfrac{1,684,300+705,300}{4,216,200 \div 12} \fallingdotseq 6.801\cdots\text{月} = 6.80\text{月}$

F：支払勘定回転率 $= \dfrac{\text{完成工事高}}{(\text{支払手形}+\text{工事未払金}+\text{電子記録債務})^{※注}}$

$= \dfrac{4,216,200}{\{(115,200+767,900+325,700)+(65,600+646,900+297,800)\} \div 2}$

$\fallingdotseq 3.799\cdots\text{回} = 3.80\text{回}$

（注）　電子記録債務は，手形債務の代替手段と考えられるので，支払勘定に含めて計算している。

G：付加価値率 $= \dfrac{\text{付加価値}}{\text{完成工事高}} \times 100 = \dfrac{1,077,500}{4,216,200} \times 100 \fallingdotseq 25.556\cdots\% = 25.56\%$

・付加価値＝完成工事高－(材料費＋労務外注費＋外注費)

＝4,216,200－(727,100＋39,000＋2,372,600)＝1,077,500

$$\text{H：完成工事高増減率} = \frac{\text{当期完成工事高} - \text{前期完成工事高}}{\text{前期完成工事高}} \times 100$$

$$= \frac{4,216,200 - 4,724,100}{4,724,100} \times 100 \fallingdotseq \triangle 10.751\cdots\% = \triangle 10.75\%$$

$$\text{I：資本集約度} = \frac{\text{総資本}^{※}}{\text{総職員数}^{※}} = \frac{(3,226,900 + 3,458,500) \div 2}{(42\text{人} + 40\text{人}) \div 2} \fallingdotseq 81,529.2\cdots\text{千円} = 81,529\text{千円}$$

$$\text{J：配当率} = \frac{\text{配当金}}{\text{資本金}} \times 100 = \frac{37,900}{120,000} \times 100 \fallingdotseq 31.583\cdots\% = 31.58\%$$

問2

［1］は，「自己資本と他人資本とのバランス」という記述により，共通のキーワードは「資本」だとわかるので，「資本構造（カ）」が入る。［2］は，「有形固定資産と長期的な調達資本とのバランス」という記述により，「投資構造（コ）」だと分かる。ちなみに，健全性分析は，以下のように分類されている。

資本構造分析	★指標の数値が高いほど良好 ・自己資本比率★ ・負債比率，固定負債比率，営業キャッシュ・フロー対負債比率★ ・借入金依存度，借入金自己資本依存度 ・有利子負債月商倍率 ・金利負担能力（インタレスト・カバレッジ）★
投資構造分析	・固定比率 ・固定長期適合比率
利益分配性分析	・配当性向 ・配当率

上記の表の「資本構造分析」において，指標の数値が高いほど財務の健全性に懸念が生じ，問題の「用語・数値群」に含まれているものは，「負債比率」と「固定負債比率」になる。それぞれの比率について，負債比率の分子は「流動負債＋固定負債」であり，固定負債比率の分子は「固定負債」であり，それぞれの分母は「自己資本」になっている（下記参照）。このことから，分子が小さい「固定負債比率」の方が，「負債比率」よりも，指標の値は低くなることがいえる。これらのことから，［3］と［4］の正解の組み合わせは，それぞれ「固定負債比率（イ）」と「負債比率（ク）」となる。

$$\cdot\text{固定負債比率（\%）} = \frac{\text{固定負債}}{\text{自己資本}} \times 100 = \frac{705,300}{1,068,900} \times 100 \fallingdotseq 65.983\cdots\% = \text{「65.98（ハ）」\%} \ \boxed{5}$$

・負債比率（%）$=\dfrac{\text{流動負債}+\text{固定負債}}{\text{自己資本}}\times 100$

［ 6 ］は，「企業が営業活動から内部的に創出した資金で返済」という記述により，「営業キャッシュ・フロー対負債比率（ト）」だと推測がつく。［ 7 ］は，「固定資産への投資は自己資本の範囲内で実施」という記述により，「固定比率（サ）」が正解となる。建設業の場合，固定比率は，企業規模が大きくなればなるほど，資金調達事業の充実とともに大幅に改善される傾向にある。逆に，中小の企業になればなるほど，この事情は苦しくなるといわれている。このような状況から，［ 8 ］は「小さい（タ）」を選択する。流動比率は，流動資産と流動負債の関係の指標である。貸借対照表において，投資構造分析で考えると，流動資産と流動負債以外（表裏の関係）は「固定資産，固定負債，自己資本」だと考えられる。これらの関係を示すのは，「固定長期適合比率（シ）」［ 9 ］である。

・固定長期適合比率$=\dfrac{\text{固定資産}}{\text{固定負債}+\text{自己資本}}\times 100=\dfrac{1,018,720}{705,300+1,068,900}\times 100$

$\fallingdotseq 57.418\cdots\%=57.42\%$ <用語・数値群に該当なし>

・固定長期適合比率（別法）$=\dfrac{\text{有形固定資産}}{\text{固定負債}+\text{自己資本}}\times 100=\dfrac{512,600}{705,300+1,068,900}\times 100$

$\fallingdotseq 28.891\cdots\%=$「28.89（ニ）」%［ 10 ］

解答用紙

○コピーしてご使用ください（本試験の用紙サイズは「Ｂ４」となります）。
○解答用紙は、一般財団法人建設業振興基金のホームページからもダウンロードできます。

第34回 解答用紙

〔第１問〕 解答にあたっては、各問とも指定した字数以内（句読点を含む）で記入すること。

問１

10 20 25

（25字×10行の解答欄）

5

10

得点

問２

10 20 25

（25字×10行の解答欄）

5

10

〔第２問〕

記号（ＴまたはＦ）

1	2	3	4	5

〔第３問〕

（Ａ）　　　　百万円　（百万円未満を切り捨て）

（Ｂ）　　　　百万円　（　同　上　）

（Ｃ）　　　　百万円　（　同　上　）

（Ｄ）　　　　百万円　（　同　上　）

流動比率　　　　%　（小数点第３位を四捨五入し、第２位まで記入）

〔第４問〕

問１　　　　千円　（千円未満を切り捨て）

問２　　　　千円　（　同　上　）

問３　　　　千円　（　同　上　）

問４　　　　千円　（　同　上　）

問５　　　　千円　（　同　上　）

〔第５問〕

問１

A　立替工事高比率　□□□.□□ %　(小数点第３位を四捨五入し、第２位まで記入)

B　固定長期適合比率　□□□.□□ %　(同　上)

C　棚卸資産回転率　□□□.□□ 回　(同　上)

D　付加価値率　□□□.□□ %　(同　上)

E　自己資本事業利益率　□□□.□□ %　(同　上)

F　営業利益増減率　□□□.□□ %　(同　上)　記号（AまたはB）□

G　完成工事高キャッシュ・フロー率　□□□.□□ %　(同　上)

H　配当性向　□□□.□□ %　(同　上)

I　未成工事収支比率　□□□.□□ %　(同　上)

J　流動負債比率　□□□.□□ %　(同　上)

問２

記号（ア～ム）

1	2	3	4	5	6	7	8	9	10

第33回　解答用紙

〔第１問〕　解答にあたっては、各問とも指定した字数以内（句読点を含む）で記入すること。

問１

10　20　25

5

得点

問２

10　20　25

5

10

〔第２問〕

記号（ア～へ）

1	2	3	4	5	6	7	8	9	10	11	12	13

〔第３問〕

（A）　　　百万円　（百万円未満を切り捨て）

（B）　　　百万円　（　同　上　）

（C）　　　百万円　（　同　上　）

（D）　　　百万円　（　同　上　）

未成工事収支比率　　　%　（小数点第３位を四捨五入し、第２位まで記入）

〔第４問〕

問１　　　%　（小数点第３位を四捨五入し、第２位まで記入）

問２　　　%　（　同　上　）　記号（AまたはB）

問３　　　%　（小数点第３位を四捨五入し、第２位まで記入）

問４　　　千円　（千円未満を切り捨て）

問５　　　千円　（　同　上　）

〔第５問〕

問１

		解答	単位	指示
A	完成工事高キャッシュ・フロー率		%	（小数点第３位を四捨五入し、第２位まで記入）
B	総資本事業利益率		%	（ 同 上 ）
C	立替工事高比率		%	（ 同 上 ）
D	受取勘定滞留月数		月	（ 同 上 ）
E	固定比率		%	（ 同 上 ）
F	配当性向		%	（ 同 上 ）
G	労働装備率		千円	（千円未満を切り捨て）
H	自己資本比率		%	（小数点第３位を四捨五入し、第２位まで記入）
I	借入金依存度		%	（ 同 上 ）
J	資本金経常利益率		%	（ 同 上 ）

問２

記号（ア～ホ）

1	2	3	4	5	6	7	8	9	10

第32回 解答用紙

〔第１問〕 解答にあたっては、各問とも指定した字数以内（句読点を含む）で記入すること。

問１

（25字×10行の解答欄）

得点

問２

（25字×10行の解答欄）

〔第２問〕

記号（ア～ヘ）

1	2	3	4	5	6	7	8	9	10	11	12	13

〔第３問〕

（A）　　百万円　（百万円未満を切り捨て）

（B）　　百万円　（　同　上　）

（C）　　百万円　（　同　上　）

（D）　　百万円　（　同　上　）

支払勘定回転率　　回　（小数点第３位を四捨五入し、第２位まで記入）

〔第４問〕

問１　　%　（小数点第３位を四捨五入し、第２位まで記入）

問２　　千円　（千円未満を切り捨て）

問３　　千円　（　同　上　）

問４　　%　（小数点第３位を四捨五入し、第２位まで記入）

問５　　千円　（千円未満を切り捨て）

〔第5問〕

問1

A　経営資本営業利益率　[　　.　] %　(小数点第3位を四捨五入し、第2位まで記入)

B　立替工事高比率　[　　.　] %　(　同　上　)

C　運転資本保有月数　[　　.　] 月　(　同　上　)

D　借入金依存度　[　　.　] %　(　同　上　)

E　棚卸資産滞留月数　[　　.　] 月　(　同　上　)

F　完成工事高増減率　[　　.　] %　(　同　上　)　記号（AまたはB）[　]

G　営業キャッシュ・フロー対流動負債比率　[　　.　] %　(　同　上　)

H　配当率　[　　.　] %　(　同　上　)

I　未成工事収支比率　[　　.　] %　(　同　上　)

J　労働装備率　[　　] 千円　(千円未満を切り捨て)

問2

記号（ア〜ヤ）

1	2	3	4	5	6	7	8	9	10

第31回　解答用紙

〔第１問〕　解答にあたっては、各問とも指定した字数以内（句読点を含む）で記入すること。

問１

10　20　25

5

10

得点	

問２

10　20　25

5

〔第２問〕

記号（ＴまたはＦ）

1	2	3	4	5

〔第３問〕

（Ａ）　　百万円　（百万円未満を切り捨て）

（Ｂ）　　百万円　（　同　上　）

（Ｃ）　　百万円　（　同　上　）

（Ｄ）　　百万円　（　同　上　）

（Ｅ）　　.　%　（小数点第３位を四捨五入し、第２位まで記入）

〔第４問〕

問１　　.　%　（小数点第３位を四捨五入し、第２位まで記入）

問２　　千円　（千円未満を切り捨て）

問３　　.　%　（小数点第３位を四捨五入し、第２位まで記入）

問４　　.　回　（　同　上　）

問５　　.　%　（　同　上　）

〔第５問〕

問１

A 総資本事業利益率	.	%	（小数点第３位を四捨五入し、第２位まで記入）	
B 未成工事収支比率	.	%	（ 同 上 ）	
C 固定比率	.	%	（ 同 上 ）	
D 受取勘定回転率	.	回	（ 同 上 ）	
E 設備投資効率	.	%	（ 同 上 ）	
F 総資本増減率	.	%	（ 同 上 ）	記号（AまたはB）
G 完成工事高キャッシュ・フロー率	.	%	（ 同 上 ）	
H 配当性向	.	%	（ 同 上 ）	
I 自己資本比率	.	%	（ 同 上 ）	
J 資本集約度		千円	（千円未満を切り捨て）	

問２

記号（ア～ヨ）

1	2	3	4	5	6	7	8	9	10

第30回 解答用紙

〔第１問〕 解答にあたっては、各問とも指定した字数以内（句読点含む）で記入すること。

問１

（25字×10行の解答欄）

得点	

問２

（25字×10行の解答欄）

〔第２問〕

記号（ア～ノ）

1	2	3	4	5	6	7	8	9

〔第３問〕

（A）		百万円	（百万円未満を切り捨て）
（B）		百万円	（　同　上　）
（C）		百万円	（　同　上　）
（D）		百万円	（　同　上　）
自己資本経常利益率	.	%	（小数点第３位を四捨五入し、第２位まで記入）

〔第４問〕

問１		千円	（千円未満を切り捨て）
問２		千円	（　同　上　）
問３		千円	（　同　上　）
問４	.	%	（小数点第３位を四捨五入し、第２位まで記入）
問５		千円	（千円未満を切り捨て）

〔第５問〕

問１

A　自己資本事業利益率　□□□.□□ %　（小数点第３位を四捨五入し、第２位まで記入）

B　立替工事高比率　□□□.□□ %　（　同　上　）

C　運転資本保有月数　□□□.□□ 月　（　同　上　）

D　当座比率　□□□.□□ %　（　同　上　）

E　負債回転期間　□□□.□□ 月　（　同　上　）

F　支払勘定回転率　□□□.□□ 回　（　同　上　）

G　付加価値率　□□□.□□ %　（　同　上　）

H　完成工事高増減率　□□□.□□ %　（　同　上　）　記号（AまたはB）□

I　資本集約度　□□,□□□ 千円　（千円未満を切り捨て）

J　配当率　□□□.□□ %　（小数点第３位を四捨五入し、第２位まで記入）

問２

記号（ア〜モ）

1	2	3	4	5	6	7	8	9	10

メモ

メモ